um sorriso ou dois

Frederico Elboni

um sorriso ou dois

Para mulheres que querem mais

Benvirá

Gerente editorial: Rogério Eduardo Alves
Editora: Débora Guterman
Editores-assistentes: Johannes C. Bergmann, Luiza Del Monaco e Paula Carvalho
Assistente de direitos autorais: Renato Abramovicius
Edição de arte: Carlos Renato
Serviços editoriais: Luciana Oliveira
Estagiária: Lara Moreira Félix

Preparação: André de Oliveira Lima
Revisão: Laila Guilherme e Laura Vecchioli
Diagramação: Estúdio Plot
Capa: Graziella Iacocca
Fotos de capa: Cia de Foto
Produção gráfica: Liliane Cristina Gomes
Impressão e acabamento: Assahi Gráfica

CIP-BRASIL. CATALOGAÇÃO NA PUBLICAÇÃO
SINDICATO NACIONAL DOS EDITORES DE LIVROS, RJ

E41u

Elboni, Frederico, 1991-
Um sorriso ou dois / Frederico Elboni. - 1. ed. - São Paulo : Benvirá, 2014.
216 p. ; 21 cm.

ISBN 978-85-8240-105-7

1. Conto brasileiro. I. Título.

13-07782 CDD: 869.93
CDU: 821.134.3(81)-3

1ª edição, 2014 | 10ª tiragem, 2015

Rua Henrique Schaumann, 270 | 12º andar
05413-010 | Pinheiros | São Paulo | SP
www.benvira.com.br

547.431.001.010

Dedico este livro a minha mãe. A meu pai.
A meus familiares. A minhas leitoras.
E a todas as pessoas que sabem a importância de
desferir um sorriso sincero em um dia comum.

Agradecimentos

Primeiramente, agradeço imensamente à Lara pelo convite para escrever este livro. Com certeza, devo a ela algumas dessas páginas – se não todas. Agradeço à Débora pelo carinho e pela disposição repleta de exclamações alegres para lapidarmos, juntos, este livro. Agradeço ao Rafael que me deu uma oportunidade ímpar de ser um dos autores-roteiristas do programa *Amor & Sexo* da Rede Globo. Agradeço ao Vitor, que sempre trabalhou com afinco ao meu lado no design de todos os meus projetos. Agradeço aos colaboradores do blog, que aceitaram trilhar esse caminho comigo de forma tão fidedigna.

Agradeço à minha mãe que, nas entrelinhas dificultosas da vida, sempre soube me estender a mão e sorrir de peito aberto comigo. E que, mesmo na ausência do meu pai *(em memória)*, me educou da forma mais digna possível. Agradeço ao meu pai que, sempre sagaz e esperto, me ensinou a ser um homem de visão ampla frente ao mundo – e, claro, a ouvir boa música. Agradeço a ele também grande parte da minha criatividade, meu jeito de falar com as mãos e minha facilidade em fazer amizade com entregadores de pizza, jardineiros e zeladores. Agradeço ao meu avô, que sempre me ensinou a mais fina filosofia sem nunca ter pisado em uma faculdade. De olhos alegres, agradeço a ele por ter me contado sobre as fluências da vida, por me aconselhar a dar o devido valor ao meu primeiro pé de borracha – como ele mesmo diz – e por ser o epicentro de equilíbrio da nossa família.

Agradeço aos meus amigos, que sempre me apoiaram com conversas e ideias repletas de positividade. Agradeço às minhas leitoras – sem elas, eu não teria realizado este sonho. E, por fim, agradeço às mulheres que marcaram minha vida, descobriram minhas normalidades, minhas rotinas, meus charmes, e sorriram comigo de rosto colado. Impossível esquecê-las. Mesmo as que já me esqueceram.

Sumário

CONTOS

VIDA A DOIS

Um pouco sobre Frederico Elboni

Alguns dias atrás, foi aniversário do meu pai, e, parte por acaso, parte por ócio, me sentei em um canto da minha casa e comecei a repensar em tudo. Nas coisas que perdi, nas coisas que deveria ter feito.

Quando mais novo, errei várias vezes. Errei ao deixar de dizer como era linda a minha primeira namorada deitada, lendo *O pequeno príncipe* pela vigésima vez. Errei quando não deixei o sentimento me dominar e, se preciso, me jogar ao chão passando frio. Mas, principalmente, errei por não ter dito algumas coisas antes de o meu pai partir.

Não ter meu pai desde os 13 anos foi algo que me deixou desprovido de vários aprendizados. Com quem vou dar toquinho com bola de capotão no parque? Como conquisto uma mulher sem parecer bobo? O que as mulheres querem? Como dou nó em gravata? É verdade que as escorpianas são sempre mais safadas? O que são as tais malícias da vida?

Não é apenas uma questão de saudade, mas, também, de esses acontecimentos terem me podado vários sonhos, caminhos e, principalmente, lições. A vida me impôs amarras que sufocavam minha vontade de demonstrar os meus sentimentos. Sem esses conselhos de pai, me aventurei a aprender sozinho o que era preciso para me tornar um homem.

Comecei sendo bobo e ingênuo com as meninas, do tipo "amigo perfeito". Perdi muitas namoradinhas – se é que posso afirmar isso – por ser assim. Nunca vou esquecer o que meu pai me disse no meu aniversário de 13 anos. Eu tinha acabado de perder a oportunidade de conquistar a menina de que eu gostava para um colega, por questão de burrice e insegurança. Senti-me repudiado e desesperançoso, pois só estava aguardando a hora e o lugar certos para abordá-la com um poema. Sem pestanejar, meu pai me disse, por telefone: "Lico, não existe local e momento para conquistar, você os cria, você determina as regras...". (Ele me chamava assim, pois, quando pequeno, eu não sabia pronunciar meu nome e falava "Fredelico".)

Desamparado e sentindo-me vazio, resolvi me dedicar a mim mesmo, tanto literal quanto intrinsecamente. Comecei a decifrar o Frederico, a estudar mais sobre o mundo, a aprender como me vestir adequadamente, como comer e como me portar, sempre buscando o melhor do pouco que absorvi do meu pai.

Com o tempo, tornei-me mestre dos meus sentimentos: sabia conquistar, sabia dizer as coisas certas nas horas certas e talvez até soubesse exatamente o que fazer para ganhar a mulher que eu quisesse. Mas pode ser que, em todos esses anos, eu nunca tenha realmente me entendido, me descoberto, me conquistado... Na verdade, cheguei a um ponto-chave da vida em que a frivolidade supriu os sentimentos.

Em vários momentos, eu chegava em casa, sentava-me por horas no sofá perto da varanda e ficava tentando me entender... Como isso era possível? Eu conquistava a mulher que julgava sublime, levava-a para jantar, misturava, na medida perfeita, o meu jeito grosso e carinhoso, colocava uma música, criava charmes com conversas mundanas e, após toda essa novela, deitava na minha cama pensando "Então é isso?". Ninguém me despertava algo diferente, ninguém deslocava o meu coração do lugar, e meu estômago era um ótimo repelente de borboletas.

Apesar de tudo, nunca tive receio de ficar sozinho e viver essa vida baseada em uma aventura comigo mesmo. Sempre achei o máximo ser um lobo solitário, pegar minha mochila e conhecer várias culturas, mulheres, lugares... E, nesse meu mundo de lobo solitário, nunca encontrei espaço para encaixar mais alguém. Na minha cabeça, as coisas sempre foram muito bem calculadas e determinadas por vantagens e desvantagens. Por um lado, raramente deixei de suprir minha vontade de conquistar determinada mulher; por outro, talvez nunca tenha sentido algo engrandecedor como a maioria julga sentir.

Com o tempo e a maturidade da vida, que ainda muito me deve ensinar, aprendi que o errado sempre fui eu. Não eram as pessoas que não me despertavam nada; na verdade, era eu que não lhes dava oportunidade de me despertar. Sem perceber, eu aprisionava meus instintos de gostar, por medo de ter que arcar com certas consequências. Até porque não são os outros que devem se adaptar à sua bronca perfeição, mas sim você que deve se adaptar aos defeitos dos outros. E talvez seja essa a premissa da minha vida: estudar, me entender, entender as pessoas e levar a elas palavras que arranquem sorrisos, pudores, anseios, medos e mostrem que a simplicidade sempre estará na perspectiva, e não na situação.

Ser uma pessoa rasa é sempre mais fácil, mas, quando você se predispõe a estudar os traumas que te marcaram, a parte psicológica e cognitiva, acaba percebendo como eles te moldam. Começa a entender o motivo dos defeitos, das atitudes, dos sonhos e, sobretudo, dos receios de cada um. Hoje eu sei o quanto preciso do amor para ser criativo e ter prosperidade, mas, principalmente, para ser ainda mais eu.

Com a voz um pouco presa, só gostaria de dizer que sinto uma saudade gostosa de você, pai, e que ela sempre, sempre será baseada no orgulho, na admiração e em algumas lágrimas. Obrigado por, mesmo não estando presente, ter jogado alguns pedacinhos de pão no meu caminho para eu saber sempre para onde voltar.

Abraços, Fred.

COMO SE APAIXONAR TODO DIA?

Isso é simplesmente uma arte. Ver uma mulher, pensar "Nossa, que linda", encarar seu rosto e tentar arrancar um sorriso. Um momento simples de conquista que faz com que você se sinta vivo, mas tão vivo… Posso afirmar que, às vezes, é muito mais gostoso arrancar um sorriso ou um simples abraço da mulher com quem se sonha e pensar "Se um dia eu ficar com ela, não preciso de mais nada além de uma ilha e umas frutas" do que fazer sexo com qualquer uma por aí.

Como é gostoso sentir-se bobo. Com o tempo, você descobre que para ser feliz é necessário ser um pouco bobo. Gente que reclama o dia inteiro, definitivamente, não sabe curtir a vida, o sol, as pessoas, uma música ou qualquer coisa que só dependa de você para acontecer. Todo homem já ficou bobo por uma mulher, esperando uma mensagem, e absurdamente ansioso para vê-la. E, se nunca ficou, nem imagina o que está perdendo.

Sabe qual é a paixão mais gostosa? Aquela sincera, sem joguinhos ou medos. Aquela em que você olha nos olhos da pessoa e diz "Estou gostando mesmo de você", recebendo em troca uma resposta recíproca e verdadeira. Aquela em que vocês se falam todo santo dia e não enjoam um do outro. Aquela que parece inacreditável estar acontecendo. E, quando você se apaixonar de novo, não jogue o peso e as mágoas de relacionamentos passados sobre as costas dessa nova chance de ser feliz. Entenda que as pessoas são diferentes e não têm nada a ver com os acidentes de percurso com os quais você cruzou até então.

As pessoas têm muitas dúvidas: será que é uma boa namorar? Será melhor curtir por enquanto? Com isso, elas esquecem a coisa mais importante da vida: aproveitar o momento. Você não vai morrer com 30 anos, então eternize cada segundo, sinta o que tem que ser sentido e deixe rolar. O resto, a vida faz.

Eu acredito fielmente na máxima de que nascemos sozinhos e morremos sozinhos. Não que vamos ficar sozinhos, mas que só dependemos de nós para sermos felizes. Pessoas vêm e vão e quem fica é você, com suas lembranças e a consciência de quem fez o que deveria ser feito. Então relaxe, você está no caminho certo. Basta lembrar que encontramos a felicidade plena quando nos apaixonamos, não por alguém, mas pela vida.

MAIS PAREDES E MENOS OBSTÁCULOS

O sexo começa a ficar gostoso quando você já não se reconhece. Quando eu já não te reconheço. Quando, como agora, com você em cima de mim, consigo extrair o seu pior e te convencer de que é o seu melhor. Isso, deixe-se levar... desprenda-se, tire suas roupas e, junto com elas, suas normas, seus receios, seu juízo... Seja insensível à desonra, você não precisa disso. Não viva essa vida pela metade.

Sei que te inquietam as minhas possíveis interpretações errôneas da sua personalidade, mas, como homem, tenho o dever de fazer você perder isso aos poucos. Afinal, eu sei diferenciar seus momentos de tesão e inocência. Sei diferenciar teu olhar sacana e teu olhar necessitado de um afago. E, acima de tudo, sei te dar a liberdade para, na cama, você ser a mulher que quiser. Então vem... seja.

Mais cedo nesta noite, criamos situações, trocamos mensagens instigantes, embaçamos os vidros do carro e raciocinamos juntos à procura de lugares inusitados para nossa prática de renovação de alma. Acabamos aqui, pregados à parede. Afinal, para que acessórios sexuais se temos tal artefato polivalente? Paredes eficientes como essa atrás de você, nas quais te jogo, te prenso e transformo o silêncio no melhor prenúncio de sexo.

O amor está nos momentos, e o sexo é somente a recompensa desse gostar. Não posso te prometer que os meus desejos continuarão sempre os mesmos, mas te dou a minha palavra de que o que é nosso será registrado como somente nosso no meu cartório íntimo e que, dessa forma, o respeito será o maior alicerce dessa relação regada a romance e sacanagem.

Sexo no primeiro encontro

Esse é um grande dilema entre as mulheres – se não o maior. Então vamos desmistificá-lo da maneira mais charmosa possível.

Todos gostamos de sexo, certo? Certo. Eu poderia terminar meu texto por aqui, pois acredito que esse questionamento já seja um belo argumento para defender minha tese. Mas, como homem, admito não saber por que algumas mulheres têm a mania de querer adiar algo que não vai dar em nada. Na maioria das vezes, elas atrasam esse processo por achar que vão mudar os homens, e aí está o erro: não vamos mudar.

Na realidade, é tudo uma questão de *feeling*. Sinta a situação, sinta o clima e, principalmente, sinta se você realmente está a fim. Se está, por que não fazer? Medo de te acharem fácil? Que besteira... Vou ser bem sincero ao dizer que tudo isso depende muito do cara com que você sai. Você pode muito bem ficar com um cara, fazer de tudo e mais um pouco e ele simplesmente te adorar, te achar companheira, inteligente e entender que rolou porque estava gostoso para ambos. Assim como você pode ficar com um cara babaca, não fazer absolutamente nada e ele te achar uma supersafada pelo simples fato de não ter dado o que ele queria. Nesses casos, as pessoas precisam ser equivalentes: duas pessoas legais que sabem que fizeram sexo porque estavam no clima. Esse é o espírito.

Sei também que, às vezes, tudo pode estar indo perfeitamente bem e, do nada, ocorrer um inexplicável sumiço da figura. Nesse caso, só posso te dizer uma coisa: acontece, e de forma alguma você deve se sentir culpada por isso. Não tente encontrar explicações concretas para algo que não tem resposta, pois, convenhamos, insistir em achar respostas para tudo é o despertar de uma paranoia desnecessária. O maior erro das mulheres é imaginar o que nós estamos imaginando. Por favor, não tire conclusões do que aconteceu sem saber o que realmente aconteceu.

Aproveitando o ensejo, vou te dar uma dica. Nunca pense "Ah, se eu não tivesse feito isso, talvez ele tivesse me ligado", ou "Ah, se eu tivesse me guardado mais um pouco, a gente estaria junto". Não podemos ser muito meticulosos quando o assunto é fazer algo de que gostamos porque estávamos com vontade. Na maioria das vezes, a mulher é quem dá abertura para finalizar a noite de uma forma "diferente", digamos assim. Então, se você não quer que aconteça, não provoque. Imponha seus limites e mantenha essa postura até o fim. Isso é importantíssimo para qualquer um te valorizar e respeitar.

A meu ver, quanto mais velhos ficamos, mais simplificamos as coisas, diminuímos os joguinhos e vamos logo ao ponto final – ou reticências. Às vezes, você sabe que será só por uma noite, então por que não curtir? Em alguns casos, precisamos deixar o corpo falar e não abrir mão de algo que nos faz bem por valores morais. Faça o que você quer, para não dormir com peso na consciência. Nós gostarmos ou não é consequência, já que, ao fim, só existe uma resposta para isso tudo: química.

UMA NOVA PESSOA, UMA NOVA PERSPECTIVA

Convivemos, todos os dias, com pessoas desnudas de autoconhecimento, que vivem carências mascaradas de receios e medos, comodidades travestidas de sentimentos e afobações sentimentais disfarçadas de amor. Pessoas que criam tantas verdades absolutas por traumas passados que se esquecem da singularidade de cada um. Quando colecionamos desgostos, adquirimos também certos aprendizados, alguns bons, mas outros, destrutivos, que deveriam acabar junto com o relacionamento.

Todos querem alimentar suas carências e acabam se esquecendo do mundo, dos alicerces passados, das pessoas envolvidas – e, no meu senso de vida, defino isso como imaturidade. É preciso considerar todas as variáveis antes de tomar uma decisão.

Confesso que nunca fui de me magoar com a falta de um gostar recíproco, mas sim com a falta de respeito e esmero recíprocos. Cada um de nós trilhou um caminho antes de esbarrar em alguém. Alguns enfrentaram estradas de terra, outros, o asfalto quente – e há, também, aqueles que ainda nem sabem pegar estrada. Então, se em meio a essas veredas da vida alguém batesse na minha porta e me pedisse uma dica, eu diria: não seja uma pessoa rasa e respeite. Seja lá quem for. Respeite o momento, compreenda as situações, amplie os horizontes sobre os traumas alheios e respire conhecimentos empíricos sempre que possível.

É muito fácil dizer que o coração manda na gente. É muito fácil dizer que foi inevitável. É muito fácil sofrer e jogar a culpa no outro. É muito fácil desviar-se dos fatos como subterfúgio para o sofrimento. Difícil é ser verdadeiro consigo mesmo, aquietar os ânimos, compreender a consternação do próximo, ressignificar nossas atitudes... E tudo isso sem cuspir ao mundo que você mudou e que agora está bem melhor que antes. Quando for capaz de agir assim, guarde para você essa conquista e interiorize-se. Ninguém precisa saber dessa mudança, basta deixar que o seu semblante grite isso em silêncio. Afinal de contas, o difícil não é ter virtudes, mas sim saber articular as virtudes que se tem.

O EMBAÇAR DE UM VIDRO

Por mim, eu te chupava ali mesmo. Sem eufemismos. Sem frescuras nem meias palavras. Com as mãos esparramadas pelo teu corpo, eu apertava com maestria tua coxa pelo lado de dentro – lugar onde eu sentia que você adorava mordidas e beijos vagarosos. Sem dó, deslizava com barba e boca nos teus ombros e organizava estratégias para que aquela tímida alça de sutiã resvalasse naqueles braços que eu tanto acariciava com firmeza e brandura.

Com os vidros fechados e as bocas abertas, brincávamos de amores e desamores na porta da sua casa. Ao som raso do rádio, até o Djavan dizia para você decidir se dava ou não. E, na cimeira da intensidade, eu confessava entre beijos e fôlegos que não queria que você fosse embora. O vidro ainda nem tinha embaçado...

Você me beijava como louca, respirava ofegante, tirava o cabelo da boca e deixava todo aquele pescoço desabrigado. Contorcia-se entre bancos e cintos. Sentia o ritmo da música e, quando ela ficava boa, trocava de estação. Eu não conseguia lidar com isso. Sem me preocupar com a aparição de alguém, eu te olhava com aquela cara de injustiça ao dizer, com os olhos aflitos, que não se deve esfregar a lâmpada se não quer ver o gênio.

Com brincos no chão, você me deixou ali, coberto de cabelos e só na imaginação, sorrindo para o meu próprio zíper.

Até onde o fator beleza importa?

Começo este texto com a seguinte questão: de que adianta a pessoa ser linda, se você não tem orgulho e admiração por ela? Não vamos ser hipócritas – como muitas vezes somos – e dizer que beleza não importa, mas, com o tempo, aprendemos que as pessoas só precisam ser bonitas para nós, não para os outros. E, convenhamos, o que é bonito pra ti, nem sempre é bonito pra mim.

O padrão de beleza estipulado pela mídia não existe, não é a nossa realidade. Quantas mulheres namoram um Ashton Kutcher ou quantos homens namoram uma Megan Fox? Essas pessoas vivem de imagem. Repito, não é a nossa realidade de meros mortais que colocam mais batata palha ou queijo ralado para deixar uma comida "rotinesca" mais gostosa – pelo menos a minha. A gente idealiza, cria estereótipos, brinca; porém as coisas não são assim, a vida não é um filme, e acabamos aprendendo que a real beleza só se mostra com certo tempo de convivência.

Qualidades conquistam, mas quem disse que defeitos também não conquistam? Confesso ter um fascínio por pessoas normais pelo simples fato de elas terem que trabalhar outros traços de personalidade para se destacar. Sem um tipo de beleza marcante, trabalhamos outros aspectos que nos permitem competir de igual para igual com quem tem olhos verdes, abdômen definido e... um Porsche na garagem. Sacaneei na parte do Porsche.

Recordo-me de, uma vez, ter saído com uma mulher de beleza rara, mas que simplesmente não tinha assunto. Eu não conseguia conversar sobre nada: comida, viagem, arte, música... Nada. O assunto começava e terminava nela com a mesma cara de paisagem. Ainda nesse mesmo momento de recordações, lembro quando cheguei numa mulher que estava longe de ser a mais atraente da festa – usei um eufemismo aqui –, e o papo rolou como esteira de caixa-rápido em supermercado. Nesse entremeio, eu pensava "Cara, não acredito que ela também conhece isso... Que animal!", e, num ato de completa coragem, disse "E se, por algum motivo louco, me desse uma puta vontade de te beijar?".

Longe de mim dizer que se você tem bunda ou peito grandes não vai conseguir um relacionamento duradouro. Só digo que esse não é o real motivo da sustentação dele. Inteligência... Olha que palavra gostosa. Desculpa, mas isso beleza nenhuma substitui. E, no fundo, é disso que todo mundo precisa: alguém para conversar, acrescentar opiniões e divergir delas; algo totalmente necessário para gerar aquela discussão sadia para todo relacionamento. Ela não precisa citar Nietzsche ou lembrar a fórmula de Bhaskara de cor e salteado, mas ter um papo gostoso, ter suas próprias opiniões formadas e afins.

Você pode ser uma pessoa supercharmosa, educada ou inteligente, entretanto, se a outra pessoa não for equivalente, não perceberá quão valiosa você é.

O PASSADO ME ENSINOU...

O passado me ensinou a transformar meus medos em curiosidade. O passado me ensinou a não confundir amor com comodidade. O passado me ensinou a importância da convicção quando o assunto é sentimento. O passado me ensinou a não testar a profundidade de um rio com os dois pés. O passado me ensinou que o ciúme é um tempero, mas que tempero demais desanda o prato. O passado me ensinou que eu não devo satisfações, mas sim respeito.

O passado me ensinou que confiança é algo que se compra às cegas. O passado me ensinou a importância de saber dizer "não" sem me sentir culpado pelo fato de atender primeiro às minhas necessidades. O passado me ensinou que as pessoas não somem, perdem o interesse. O passado me ensinou a não acreditar em um "Estou com saudade" se não vier acompanhado de um "Como faço para te ver?". O passado me ensinou a não me preocupar com coisas que só o tempo pode resolver. O passado me ensinou que não tem como um relacionamento dar certo se o orgulho for maior que o próprio sentimento.

O passado me ensinou que o companheirismo é a chave para um relacionamento estável. O passado me ensinou que sinceridade, se não vier de mãos dadas com o bom senso, de nada adianta. O passado me ensinou a não roubar a oportunidade de outros amadurecerem em situações difíceis. O passado me ensinou que, para cada um, a palavra "amor" tem uma intensidade e uma definição. O passado me ensinou que ser emocionalmente inteligente não significa que não vou sofrer, mas que sei dos riscos que corro. O passado me ensinou a importância de fazer alguém dar um sorriso ou dois.

O passado me ensinou que a pessoa apaixonada de ontem será a pessoa fria de amanhã. O passado me ensinou que não devemos entregar o ouro de bandeja, mas sim dar pistas de onde ele possa estar. O passado me ensinou que não existe coisa mais gostosa do que ser gostado pelo que se é, sem joguinhos, sem medos, sem máscaras.

O passado me ensinou que deveríamos aprender mais com ele.

EU, VOCÊ E O MUNDO.
O *MÉNAGE* IDEAL.

RELAXE E GOZE, SONHE, SEJA LEVE

Esses dias, caminhando em direção ao metrô, resolvi reparar nas pessoas indo e vindo. Algumas conformadas – e, por que não dizer, satisfeitas – com seus papéis na sociedade; outras que são massa de manobra, sem noção do real motivo de estarem ali.

Volta e meia, no decorrer da vida e de suas ranhuras, chegamos a algumas linhas de raciocínio que parece que ninguém vai entender. E realmente não vai. Quando, porventura – ou por uma aventura –, nos encontramos em um estado de espírito denominado "sei lá", a tal ponto que nem mesmo nós conseguimos contextualizar as nossas aflições, a única solução é serenar.

Existem coisas que não precisam ser entendidas, aceitas ou estar dentro dos padrões da sua família ou da sociedade. Tentar entender tudo é chato, e coabitar com os próprios pensamentos encharcados de dúvidas todos os dias é uma faísca para despertar a loucura.

Relaxar é fluência, não displicência. Saber relaxar também é uma inteligência direcionada, é saber reorganizar as prioridades e tirar mais tempo para viver. Sempre que penso demais e fico nesse emaranhado de dúvidas, simplesmente durmo, caminho, tomo um banho… pois acredito que pensar demais posterga os sonhos e cria questões desnecessárias sobre um futuro totalmente hipotético. Pensar demais anula a vida em sua essência. Pensar demais mata a sanidade.

Então, se eu pudesse te dar um conselho, seria: livre-se das suas razões. Você não precisa estar certa de tudo, ser onisciente e completamente presente em todas as ocasiões. Suas verdades não são absolutas, e algumas soluções podem ser simplesmente paliáveis. A vida guia, transforma, muda de rumo... E o fato é que mudar de opinião é saudável! Continuar com a mesma opinião às vezes também é saudável, assim como se dar ao direito de amar, sentir e sofrer. Pouco saudável é depender de terceiros para delimitar seus passos.

Os outros estão usando as lentes deles, que, na maioria das vezes, não são do mesmo grau que as nossas. Conselhos devem ser ouvidos, mas muito bem ponderados diante da nossa realidade. Os outros nunca saberão o que estamos realmente sentindo, pois, para eles, as suas frescuras são traumas, e nossos traumas podem soar como frescuras.

Até hoje sinto dificuldade em me libertar de algumas amarras que o mundo me impôs, de certas ressacas morais e de certas incertezas sobre meu futuro. Mas não podemos ser vítimas de nós mesmos. Hoje concordo que meu maior inimigo sou eu mesmo. Minhas regras internas, meus dogmas sem sentido, meus medos estranhos, minhas ansiedades vazias... E ser vazio, não ter do que falar, do que chorar, ou do que se lembrar, torna a vida inóspita. Essa falta de zelo pela vida é violenta.

O que seria da vida se as dúvidas não se multiplicassem, os focos não se perdessem e os sonhos cessassem? Às vezes, devemos pegar e jogar tudo para o alto; outras vezes, só devemos continuar o que estamos fazendo e aquietar nossos ânimos. Inevitavelmente, o inconsciente sempre nos vê por trás das cortinas.

Sabe quando te acho *sexy*?

Homens gostam de mulheres naturais. Mulheres simples – não simplórias – que sabem valorizar os pequenos detalhes do próprio *sex appeal*. Listarei aqui alguns momentos nos quais você nunca imaginou ser *sexy*, mas que, eu garanto, te tornam muito mais *sexy*, delicada e charmosa do que qualquer *lingerie*.

O charme é você ser *sexy* sem saber que está sendo, só para ficarmos olhando pela frestinha da porta e pensando toda e qualquer besteira que a nossa imaginação – muito fértil, diga-se de passagem – nos possibilita. Então... sabe quando te acho *sexy*?

Natural, sem maquiagem, sem cabelo pintado, com um shortinho *jeans*, uma camisa básica e um rabo de cavalo.

Quando você está lavando roupa e tira a calcinha por debaixo da saia/toalha, jogando-a na máquina.

Quando você bota aquele pijaminha infantil de algodão e fala para eu ir logo pra cama porque o filme já começou.

Quando te elogio e você me responde "Jura?", toda surpresa por eu ter reparado em algo que você nem imaginava.

Quando te vejo falando em público, com determinação, segura, e me dando o maior orgulho de você ser minha.

Quando você entra na piscina, pede para eu não molhar o seu cabelo, eu molho e você fica puta, com aquela cara de "não acredito que você fez isso".

Quando você está morrendo de ciúmes e só me responde "Entendi", esperando minha atenção.

Quando você está com um coque e uma camisa minha, sentada na minha cama, trocando o canal da televisão.

Quando você diz "Sai daqui agora!" e eu saio... Cinco minutos depois você vem: "Olha, não era isso que eu queria dizer...".

Quando você está deitada de bruços, com os pés suspensos, lendo algum livro.

São esses pequenos detalhes e sutilezas do cotidiano que nos fazem descobrir o seu *sex appeal* em coisas, até agora, inimagináveis. Então, quando essas cenas banais começarem a ser observadas e principalmente valorizadas, aí sim poderemos trocar o "eu" e "você" por "nós".

NÃO SEJA VOCÊ TODO DIA

Chega um dia em que a nossa autoestima transborda. E transborda tanto que nos permite errar por amor e, assim, saber que era o que deveria ser feito, sem pestanejar entre dúvidas e julgamentos. Chega um dia em que a gente coleciona erros – às vezes por fazer demais, às vezes por fazer de menos – e simplesmente ri. Ri por entender quão normal é tudo isso em uma jornada finita.

Reconheço: já tomei fora de uma Maria, namorei uma Gabriela, fui besta com uma Amanda, perdi uma Natália, fui feito de bobo por uma Luiza, fiquei com saudade da mesma Amanda, tive o maior tesão por conhecer uma Fernanda... E assim é a vida. Erros e acertos, interpretações equivocadas e certeiras, dias ruins e bons.

Seja você, mas se dê ao luxo de não ser também. Perca um amor, mas ganhe outro. Viva e se arrependa de ter feito, ou, simplesmente, de não ter feito. Experimente os sentimentos e dramas da vida. Ecoe em si que você sabe viver, não somente existir. E, se você já fez uma "cagada", assuma e sorria; eu também já fiz e vou continuar fazendo enquanto souber me deparar com a felicidade nas emoções e lembranças que colecionei e sigo colecionando.

Normal é passar uma impressão diferente, é ser confundido, é ser bobo, é ser afobado. É amar e se perder no amor, é fazer coisas que nunca imaginaria durante o sexo, é ser pego de surpresa e, assim, transparecer um "eu" diferente. Agradar ao mundo é missão dos que não compreendem a vida. Dos que não sabem a importância de ser singular. Ser a mesma pessoa sempre não é sinônimo de ser verdadeiro. Ser a mesma pessoa sempre é ser imutável, é viver em território seguro, é não ser adaptável a outros conteúdos e vivências. Arrisque-se a deixar que os outros te vejam de outra forma, arrisque-se a surpreender e a ser julgada, arrisque-se a não ser você sendo você.

Momentos não definem uma essência. Ninguém é sem-caráter porque bebeu demais em uma festa. Ninguém é bobo ou vulnerável porque hasteou sentimentos em bandeira branca. Ninguém deixa de ser a mesma pessoa por mudar de opinião. Ninguém é qualquer estereótipo que algum idiota define sem fundamentos. Apaixone-se por pessoas e situações, calce o bom senso, vista a sua consciência e viva. A consciência é isso. O equilíbrio entre você e o mundo. Entre o sentimento verdadeiro e o dissimulado. Entre quem você foi e quem você quer ser. Não tenha receio de ser essa miscigenação de erros e acertos sem fórmulas. Sacie a sua consciência, não as expectativas alheias.

PACIÊNCIA DE JÓ

Não vou te convencer do seu gostar. As meninices já deveriam ter passado, e as meias verdades, evaporado. Diferente do que você pensa, nem todo mundo é palhaço e vive a seu bel-prazer. Acorda pra vida! Ninguém é idiota para ficar perdendo tempo num jogo que você quer vencer sozinha.

Pare de criar teorias milenares para tentar me conquistar. O que me conquista é você ser você, sem essas algemas desnecessárias, sem enrolações de menininha manhosa que não sabe o que quer. Estou aqui sentado na porta da tua casa e você aí, pensando se vai me responder a mensagem de ontem com um "ok" ou um *emoticon*.

Não tenho mais paciência para lutar contra essas dissimulações. Na realidade, a minha paciência se perdeu há muito tempo em meio às tuas indecisões. Gosto de sentimentos diretos, sinceros, sem certo ou errado, sem pesos ou mágoas de relacionamentos passados, em que uma leve dificuldade até cai bem, mas o impossível desanima. Gosto do simples, eu e você, sem turistas. Quer mais simples do que isso?

Homens se recuperam mais rápido de um término?

"Ele não se importa comigo, não liga pra nada, acho que ele nem gostava de mim de verdade..."

Dizer que se a pessoa não sofre ela não gosta é uma resposta muito fácil e rasa. O amor não é resposta para tudo. Chega a ser curioso observar como muitas pessoas vivem uma utopia perante esse sentimento. "Ah, mas se ele me amasse, iria sofrer...", "Ah, mas se ele me amasse, não faria isso...". As coisas não funcionam assim. Temos a mania de romantizar todas as escolhas feitas em nome do amor, entretanto, digamos que o fim de um relacionamento seja como a morte de algum ente querido: algo de que você gostava e, claro, sentirá falta, mas com que, infelizmente, terá que aprender a lidar. Inevitavelmente, a recuperação do término de uma relação tem muito mais a ver com inteligência emocional do que com sentimento propriamente dito.

O homem consegue se desligar muito mais facilmente de um relacionamento pelo simples fato de não querer saber mais da vida alheia. Já a mulher quer "stalkear", quer bisbilhotar as redes sociais, quer ver quem é "a outra" com quem ele está falando e, pior, imaginar todas as possíveis conspirações que podem estar sendo tramadas pela suas costas sem nem saber se realmente são fatídicas. O fato de os homens serem mais desligados e relaxados contribui muito para seguir a vida, e, por mais clichê que seja, a verdade é que "o que os olhos não veem, o coração não sente". Digamos que a lógica masculina seja simples: por qual razão olharei algo que pode me magoar? Não olharei. É tão fácil, tão eficiente...

O lado social também influencia muito, pois, nessas horas, os amigos são fundamentais e sabem bem como levantar o nosso astral. Diferentemente de algumas amizades femininas, que consolam cuspindo dizeres do tipo "Ele não te merece", "Esquece esse idiota", "Você é muito pra ele", o homem não entra em detalhes, não prolonga nem deixa assuntos como a ex-namorada ficarem em pauta na roda de amigos por mais de três minutos.

Por maior que seja a nossa angústia após um término, nós, homens, começamos a assimilar os pontos positivos e negativos da situação. Por exemplo: ficarei sem você, mas terei liberdade. Um relacionamento – ou a falta dele – é feito de ônus e bônus, por isso utilizamos mais o nosso lado racional para entender que essas coisas acontecem e devem ser superadas; afinal, sabemos que não há como fazer milagre e que tudo, com certeza, vai passar.

Confesso não entender esse radicalismo de algumas mulheres que ou leem cartas trocadas durante o namoro e ficam em prantos, se afundando em uma pseudodepressão (e no sorvete, ouvi dizer), ou queimam tudo, fazem mandinga e dizem que nunca mais querem nos ver na vida. A opção "guardar num cantinho e não ler" não existe? Encarar o fim de um relacionamento como normalidade é o que nos torna passíveis de nos recuperarmos rápido.

Homens também têm fraquezas; só escolhem pessoas diferentes para quem demonstrar e modos diferentes de agir. Mas, no fim das contas, seja homem ou mulher, inteligente é quem sabe a hora de parar de dar corda para algo que não tem futuro.

PERMITA-SE DESISTIR

Nunca vou conseguir entender essa tal vontade de querer voltar para algo que acabou. Permita-se desistir, esqueça o dia que passou, dê a si mesma a oportunidade de experimentar outro café da manhã.

Tendemos a insistir em coisas incertas na busca de respostas concretas, mas, infelizmente, essas respostas não existem. Permita-se ser você mesma, sem medo de magoar quem já se cansou de fazer isso com você.

As lacunas de nossas vidas podem ser preenchidas de várias formas, possibilidades, perfumes, beijos... Coisas simples do dia a dia que, quando bem dosadas e aliadas à nossa perspectiva de mundo, tornam tudo mais intenso, interessante.

A gente se engana, acha que já esqueceu, mas nunca deixa de lembrar que já esqueceu. E, assim, jogamos sobre os outros a culpa das brincadeiras que nós mesmos aceitamos brincar. A dor é sempre passageira, basta lembrar que o piloto é você.

ENTÃO É ASSIM QUE A MINHA FELICIDADE COMEÇA:

QUANDO O MEU SORRISO
VIRA CONSEQUÊNCIA DO SEU.

MENOS INDECISÕES, MAIS LOUCURAS

Gosto de pessoas com vontades próprias, mesmo que elas sejam contrárias às minhas. Estamos aqui para conversar, divergir, discutir, brigar e, assim, decidir juntos uma melhor opção para os dois. Não é porque sou homem que tenho que decidir tudo. Cadê as suas vontades? Seus desejos? Suas fantasias?

Quero mais. Mais sacanagem, mais proatividade, mais aventura, mais certeza e menos "não sei", menos "talvez", menos "pode ser", menos "quem sabe". "Você é quem sabe" não é resposta. Se estou te perguntando, quero saber o que você quer. Sei que, como mulher, você tem uma tendência maior a ser indecisa em certos detalhes – e juro que até acho essa leve indecisão charmosa –, mas estamos num relacionamento em que eu também quero ser domado, guiado e, principalmente, surpreendido.

Ah, como eu gosto de uma bela discussão! Daquelas que me fazem até levantar da mesa para argumentar. Tudo bem, de vez em quando até posso parecer um pouco ranzinza e cabeça-dura, mas, se você for também, casamos. Às vezes, canso de sempre ter que conduzir a dança e funcionar como bússola das nossas vontades. Quero ser desafiado, contrariado e instigado a ter duelos dialéticos em que a melhor resposta ganha uma cara de "É, você manda bem".

Sou fascinado por pessoas que sabem refletir sobre assuntos cotidianos. Pessoas que sabem entrar em guerra via mensagens, em que uma resposta sucede outra ainda mais instigante. Pessoas que sabem criar expectativas positivas sobre a única coisa que aceito ser incerta: o fim de uma noite sem compromissos.

É muito fácil ser carga. Um barco precisa do leme, que nos guia e norteia. Precisa do motor, que nos dá força e, sobretudo, nos faz seguir em frente. Precisa da carcaça, que nos carrega e aguenta todo o peso necessário para a viagem. Um barco precisa da ajuda de vários componentes para seguir em frente, então, repito: é muito fácil ser carga.

Honestamente desprezo coisas mornas. Quero alguém que me vença num jogo de sedução sincera e que, nesse enredo, não me dê certeza da vitória, mas me faça jogar até o fim. Nossa, que saudade de alguém que mande bem nesse jogo. Sinto falta de ser surpreendido com detalhes.

QUERIA-TE AINDA QUERENDO-ME

Queria-te ainda querendo dividir quimeras comigo. Sinto-te tanta falta. Do teu perfume novo ao barulhinho da tua cabeça se ajeitando no travesseiro. Consolo-me com essas lembranças e recordo-me, como se fosse ontem, dos meus dizeres inventivos ao te conquistar, da amabilidade com que nossos olhares se encontravam e de como você me moldava o sorriso para encaixá-lo no teu.

Sou um estranho ímpar, fiz descaso do teu amor, poupei nossa felicidade pensando querer desbravar uma vida de venturas e aventuras, na verdade, inexistentes. Nesse tempo, foste para-raios dos meus excessos, e julguei como passageiro um amor que nem me parecia amor. Deixei a casa vazia. Fui distante e frio. Te larguei ao léu da saudade e optei por trilhar desacompanhado um caminho que cabia a nós dois. Hoje, de viseira longa, sinto tanto tua falta... Assim como dos teus costumes meigos, teus risos fáceis, nossos sonhos palpáveis.

Confesso que, se pudesse, faria tudo diferente e te abraçaria com todo o meu arrependimento. Carrego uma frustração que não cabe em mim, saudade, mágoa e compunção que se trançam criando laços pertinentes à minha revolta de não te suscitar mais. Sonho dolorido. Pouco ajustado à minha realidade. Que desvia dos meus ímpetos e me traz ao chão. Chão que cheira a pó e que vem à tona, sem dó. Te perdi por imperícia minha, e, agora, vagueio com a minha saudade e vontade de, ao teu lado, refazer nossas exclamações alegres. Perdido nas águas da minha própria melancolia, só queria ainda saber nadar nas águas que já atravessei. Queria-te ainda querendo-me.

Dar um tempo no namoro

Acredite, na maioria das vezes essas histórias sempre se repetem, o que muda são o palco e os personagens. Para a maioria de nós, homens, dar um tempo no namoro é algo mais ou menos assim: "Vou ver como eu fico sozinho. Se eu não pegar ninguém ou sentir muito a sua falta, eu volto, beleza?".

A meu ver, dar um tempo no namoro é uma maneira covarde de terminar um relacionamento sem ter que aguentar todas as consequências do término. Nessa situação, você tem aquela segurança de que a pessoa ainda é sua e, quando quiser, pode tê-la de volta. Assumo que, se for para ser assim, prefiro terminar. Não gosto nem tenho paciência para esse papo de "Não quero ficar contigo, mas também não quero que você fique com ninguém". Por mais que não seja por mal, isso é aprisionar felicidades, e eu voto sempre pela liberdade. Faça o que você quiser, e eu faço o que eu quiser, simples assim. Claro, os problemas comuns de um relacionamento devem ser resolvidos juntos – até porque, nesse caso, não há intervenção divina mais eficiente que um diálogo recheado de concessões.

As pessoas vivem testando os limites dos outros e em constante medo de perdê-los. Resumindo, na maioria das vezes essa situação é uma sacanagem com quem está do outro lado e, principalmente, com quem acredita que essa, talvez, seja a única solução para dar continuidade a algo que só uma das partes já sabe que acabou. O mundo precisa de pessoas mais decididas. Pessoas que saibam deixar umas às outras e ainda ter muito de si para oferecer.

Tudo é muito relativo em contraste com as circunstâncias, mas, sendo bem realista, na maioria das vezes dar um tempo é abrir a porta para alguma imundice acontecer. Você fica se enganando e enganando o próximo, pois tem receio de perder o que chama de "gostar" – "gostar" que, para mim, é pura comodidade. Por outro lado, acredito sim que, em certos casos, a distância possa ajudar a ressaltar alguns valores que estavam perdidos dentro do relacionamento, mas isso é diferente de dar um tempo. Digamos que seja um momento de leve distanciamento com um simples intuito de sentir saudade e rever seu valor diante do outro.

É complicado compreender como pessoas que dizem se gostar necessitam de um tempo para saber se a relação realmente tem futuro. Se você acha que tem muito o que viver, termine e pare de ficar prorrogando a felicidade de ambos. Pois, no meu entendimento da vida, as pessoas podem fazer o que quiserem, menos pensar que fazer o outro de idiota é ser inteligente.

O HOMEM É UM LOBO SOLITÁRIO QUE PRECISA APRENDER A AMAR

Se você soubesse como tudo isso é dificultoso para mim... Gosto de sentir o que estou sentindo, mas essa vulnerabilidade me faz tão franzino... Sempre fui um lobo solitário, e agora é complicado dividir a minha selva. Lugar onde sempre reinei, controlei com maestria todos os meus medos, minhas prioridades e meus limites. Sou desconfiado mesmo, preciso ser cativado.

Minha pelagem é macia, mas disso nem eu sabia, você me disse. Confesso: me sinto tão estranho quando sou elogiado que é como se não fizesse parte de mim. Não fui criado para ser sensível às pequenas nuances da vida. Sempre precisei ter força e demonstrar segurança em todos os momentos em que o meu coração gostaria de saltar pela boca. Como o enredo do mestre Coppola me ensinou: um homem deve ser homem, ter honra, responsabilidade, dignidade e bravura. Mas, nessa fase da vida, sinto falta de ser bobo, de fazer os teus olhos brilharem com pouco, de ter toda essa maleabilidade de um menino apaixonado.

Meus sentimentos são expostos em atitudes; não me peça para demonstrá-los da forma que te for mais conveniente. Cada um sente e demonstra o que sente à sua maneira. Demonstro o meu gostar quando, sem motivos claros, te ligo para dizer um "oi" despretensioso durante o intervalo do jogo. Quando deixo de usar aquela camisa velha de que tanto gosto, porque você me acha mais bonito com outra que nem faz jus ao meu estilo maltrapilho.

As minhas paixões sempre foram passageiras. Ninguém nunca me despertou mais do que um simples tesão e uma vontade louca de comer pizza requentada no café da manhã. Como um lobo solitário, sempre fui fechado a cuidados, carinhos e afagos, mas, por outro lado, não havia ninguém melhor do que eu para capturar as presas que deslindavam a minha selva abandonada de compaixão.

Sou arredio, preciso ser domado e colocado frente a frente com meus demônios internos. Não quero mudar e sair da minha essência, mas quero aprender, aos poucos, a ver o seu lado e, assim, entender qual a real importância de dizer com palavras concretas o que sinto. Hoje, quero uivar só para você e mostrar que os lobos também podem ser os reis da selva.

A TUA NOVA EXPERIÊNCIA

Me beija a boca, louca... Me deixa te comer gostoso. E não sinta vergonha de ouvir isso. Atreva-se comigo, me joga no chão, pega a minha nuca, o meu cabelo e diz que nunca deu tão gostoso pra alguém. Me deixa morder tua orelha e intercalar palavras de putaria entre mordidas e fôlegos. Me deixa te marcar no corpo e nas lembranças futuras. Me deixa driblar tuas peças de roupa e manter só dois sorrisos nus. Me olha te comendo e perde a vergonha, as dúvidas, as roupas... só não perde a vontade.

Senta. Vira. Esquece o frio. Pede tapa. Geme. Fica tranquila, não vou parar. Fala alto. Me xinga. E o mundo também. Pede mais tapas. Recusa beijo. Não, não vai chegar ninguém. Puxa meu cabelo. Rebola. Beija. Já disse que não vou parar. Não desvia os olhos. Me olha. Me dá. Pede mais tapas. Geme. Relaxa...

Hoje eu sou a tua nova experiência. Esqueça tua decência e me esqueça também. Me esqueça no depois, pensa no agora, na hora, que passa e alimenta nossos ânimos. Que passa e a gente nem vê, nem sente. Que passa e deixa a gente na vontade de não pensar em futuros. Que passa e deixa a gente, cada vez mais, a gente.

O QUE É O AMOR?

O amor... Sentimento idolatrado, venerado, mas, em sua essência, pouco compreendido. É como uma questão matemática: a maioria das pessoas está interessada em resolver em vez de compreender.

O amor não é avassalador, muito menos imprevisível. Ele é confluente, elaborado, sereno, libertador, silencioso e, como um legítimo sapato de couro, precisa ser lasseado para acomodar-se ao pé que o calça. Não existe amor pleno, sem ranhuras, sem infiltrações, sem o seu anfitrião: o tempo.

O amor não cria cercas. Ele é um estágio de sentimento multifacetado, que vai muito além de um simples "eu te amo" dito ao despedir-se à porta de casa. A profundidade desse sentimento é infindável. Milhares de pensadores dissertaram – e ainda dissertam – sobre ele, para hoje, em pleno século 21, reduzirmos o amor a um simples e barato beijo de Carnaval. Talvez eu seja retrógrado, mas ainda seleciono esses dizeres com toda a minha sensatez antes de arcar com possíveis arrependimentos na jurisdição da minha consciência.

O amor é uma palavra que, para cada um, tem um significado e, principalmente, uma intensidade. Da mesma forma, cada um escolhe uma hora em sua vida para matá-lo. Nós o matamos por medo, por proteção, por incompreensão, por descrédito ou até por simples tentativa de desapego – que é, na maioria das vezes, ilógico. Apesar dessas fechaduras, vez ou outra compreensíveis, fico esperançoso de que não seja tarde para desfibrilá-lo.

Acredito que o amor seja tudo isso e mais um pouco. Pouco que ainda não aprendi – até porque a minha vida perderia a graça se eu conseguisse definir genuinamente o amor.

SOU VOLÁTIL,
E ATÉ HOJE NÃO DESCOBRI
NADA MAIS GOSTOSO DO
QUE PAIXÕES REPENTINAS
QUE ME FAÇAM TER A
SENSAÇÃO DE VENTO NO
ROSTO E ÁGUA NA BOCA.

Parceria é o amor sem palavras

Eu, como homem – até que provem o contrário –, posso defender essa causa como uma das mais importantes para se ter um relacionamento que a sociedade define como estável. Sabe quando você se pega num lugar pensando "Cara, minha mulher está aqui na puta que pariu sorrindo e curtindo fazer qualquer besteira comigo. Caralho, minha mulher é o máximo..."?

Um dia fazemos algo que você gosta, outro dia fazemos o que eu gosto. Hoje você vai comigo ver o jogo de futebol no estádio, com aquela roupa de fazer exercício, óculos escuros e rabo de cavalo, e amanhã vou contigo no *shopping* escolher um abajur novo para o cantinho da sala ficar mais aconchegante. Um relacionamento é feito disso: concessões.

A parceria é, simplesmente, a maneira mais gostosa de dizer ao mundo que vocês são um casal feliz. Para nós, homens, é muito importante ser o provedor da relação. Gostamos de agradar, dar presentes, viagens e tudo o que desvende alguns momentos de felicidade. Mas, infelizmente, trabalhamos com possibilidades e, às vezes, não temos como te proporcionar tudo o que gostaríamos. Então, até mesmo ver o teu sorriso em algo simples, como tomar um sorvete na padaria da esquina, é impagável.

E, em meio a esse enredo, incluo o companheirismo como um dos pilares de um relacionamento; o ato de querer estar junto sem querer dominar, de aceitar as diferenças e, principalmente, respeitá-las. A meu ver, não existe nada mais sensacional do que mulheres que sabem interpretar brincadeiras, entender que numa conversa de homem se falam muitas besteiras – a maioria delas sadias, por mais que não pareçam –, que sabem valorizar a importância de uma final da Libertadores e gostam de estar junto em momentos que, para elas, são bobos, mas, para nós, são importantíssimos.

Longe de mim querer lançar um estilo padrão, só estou dizendo que, no fundo, são essas coisas que realmente importam. Sei que muitas poderão pensar "Sempre fui assim e nunca valorizaram". Sobre isso eu poderia dizer várias coisas, mas vou resumi-las em: continue desse jeito, alguém um dia saberá valorizar.

Então a vida de um casal parceiro é assim: um pouco de mim, um pouco de ti e bastante de nós.

O CHARME DE UMA PESSOA NORMAL

Eu sou uma pessoa normal. Daquelas que se encontram na rua e para quem não se dá um tostão até ter a oportunidade de sentar numa mesa vazia de bar e conversar horas a fio. Ou nem mesmo assim, já que, hoje em dia, um tostão é dinheiro, e dinheiro vale mais do que qualquer possibilidade de fazer os outros sorrirem.

Pessoas normais, como eu e você, são charmosas. E sabe por quê? Porque, cotidianamente, temos que trabalhar pequenas particularidades para nos destacar numa sociedade onde a marca da minha camisa e o tamanho do meu bíceps valem mais do que a sinceridade do meu olhar e o carisma do meu aperto de mão.

Por isso sou assim: uso touca mesmo parecendo ridículo, confesso ter uma paixão arrebatadora por nhá benta – me recuso a chamar de teta de nega, sem preconceitos, claro – e ensaio os meus diálogos fictícios no chuveiro, mesmo parecendo um retardado completo. Afinal, esse sou eu, e, se perder isso, vou perder o que tenho de mais importante: a minha autenticidade. E ser um homem pleno é ser autêntico. É driblar costumes e mostrar novas variáveis com a segurança de quem já trilha o mesmo caminho faz anos. É saber demonstrar sentimentos sem parecer um inepto e ter pegada sem parecer um maníaco sexual que acabou de sair da cadeia. E, talvez, esta seja a coisa de que mais sinto falta nas mulheres – diria pessoas, mas meu foco ainda são as mulheres, aquelas desnudas, com sutiãs diferentes e vivências múltiplas, como os orgasmos que... deixa eu voltar para o texto, calma –: a falta de dosagem nos pequenos fazeres.

Não quero saber se ela é safada, se ela é celibatária ou se não sabe que o famoso sem orelha era o Van Gogh e não o Evander Holyfield. Só quero sentar e ser entretido divinamente, envolver-me naquela sensação gostosa de conforto e aconchego ao conversar com alguém que, por motivos indecifráveis, me fascina. Esse é o charme de uma pessoa normal: conquistar alguém pelo que se é, sem razões concretas, joguinhos ou pseudotécnicas de sedução.

Então, já que estamos tão íntimos, te contarei uma história. Dia desses, fui dispensado por uma mulher por quem estava intrinsecamente inspirado, se é que assim posso dizer. Tive altos e baixos, derrapei nas curvas da conversa tentando mesclar safadeza, carinho, surpresa e desatino. Contudo, sem respostas concretas, tomei um fora lindo, do tipo que me deixou com cara de entregador de pizza sem troco. Mas quem disse que esse não é o charme da vida em sua essência? Eu poderia ter insistido e articulado mais alguns argumentos em minha defesa – e de uma possível conquista –, mas optei por ficar quieto, na espreita, evitando ao máximo me explicar.

Com o tempo aprendi a não tentar explicar para os outros quem eu posso ser. Cada um de nós tem uma ótica diferente sobre as pessoas, e respeitar isso é respeitar o próximo. Esses desvios cotidianos são necessários para me tornar ainda mais eu, ou você mais você. Acontecimentos e desvios que, hoje, me transformam num cara cada vez mais normal simplesmente por ter provado das naturalidades da vida.

Então, no auge dessa nossa conversa, confesso perto do teu ouvido – aquele que sente cócegas com a respiração quente e faz você inclinar o pescoço para o lado oposto, deixando-o vulnerável e clamando por um beijo daqueles – que sou um cara normal, como o Washington, o Wellington, o Wesley… Tudo bem, talvez eu escreva um pouco melhor que eles, mas meu abdômen não é definido e também não tenho um Camaro. Em compensação, meu papo e meu perfume são bons, e isso já deveria ser o suficiente. Pelo menos no meu mundo de pessoas normais.

Concluindo, o que homens normais podem oferecer são experiências, peculiaridades, vivências, sorrisos e alguns orgasmos. Já o resto, deixamos para quem ainda não sabe curtir as pequenas e deliciosas nuances de uma bela conversa regada ao melhor sorriso de todos: o nosso.

COMO VOCÊ ME ENSINOU

Há tempos estou aqui, em silêncio, ouvindo o eco das nossas brigas nessa casa agora vazia. Continuo sentindo o teu cheirinho no meu travesseiro e, mesmo com os meus variados tipos de alergia, nunca ousei lavá-lo. E olha que a Zilda já está me achando um porco, mas, cá entre nós, a Zilda também não é um exemplo de higiene...

Sabe, apesar de você ter ido de forma súbita, em nenhum momento fiquei esmorecido, pois você sempre me dizia que essa minha cara de batata sorriso não poderia se perder em meio às angústias da vida. Sem você, continuo indo àquela padaria da esquina, pedindo o mesmo café expresso e levando para casa aquele mesmo *crème brûlée* que você tanto adorava. Sei que não fico tão charmoso quanto você levando aquela sacolinha nos ombros e passeando com o Romeu, mas você também não ficava tão charmosa quanto eu de avental e meias.

Às vezes, vejo um casal feliz fazendo compras e lembro da gente... Lembra aquele dia em que fomos à loja de cristais e eu derrubei uma prateleira toda com aquele meu jeito gracioso? Ainda consigo ver tua cara de susto seguida de um sorriso contido enquanto eu deixava metade do meu salário lá. Mas pode ficar tranquila, porque, mesmo com essa minha cabeça de vento, continuo passando óleo de peroba naqueles móveis antigos que eram o teu xodó. E, não, não estou areando as panelas de teflon com bombril também. Tudo como você me ensinou.

Esses dias, passeando pela praia, o Romeu encontrou mais uma concha para a nossa coleção – daquelas que ficam na beira do mar e parecem ter sido feitas à mão. Ele veio todo sujo de areia e eu tive que lhe dar um banho sozinho. É claro que, ao tentar tapar as orelhas dele para não entrar água, acabei tomando um banho junto. Achei que você gostaria de saber...

Mas, apesar de tudo, estou aqui, deitado naquele sofá que fica pertinho da varanda, repensando nos meus próprios caminhos, nas minhas próprias carências e colocando tudo num papel amassado e manchado de café. Sem uma saída iminente, sei que a solução é ficar no meu canto, quieto, sereno, e esperar esse gostinho de saudade passar enquanto converso com a solidão. E com o Romeu, claro.

Os dias ficam cada vez mais compridos, e, de vez em quando, ando pela casa sem saber o que fazer, o que procurar, o que sentir... Preencho meu dia com afazeres, mas tudo ainda me parece tão frívolo. Hoje eu caminho pelo parque Ibirapuera sozinho, vou ao mercado sozinho e levo o Romeu ao veterinário sozinho, mas, sozinho mesmo, só me sinto quando abro a geladeira e vejo aquele *crème brûlée* intacto. Sem nenhum vestígio de uma despretensiosa e faminta colher.

Eu e o Romeu sentimos muito a tua falta.

Um beijo.

P.S.: Ele também mandou um *lambeijo*.

Balada: diversão ou duelo de egos?

Mais que uma pergunta: um dilema. Após várias saídas desastrosas, você, mais uma vez, se predispõe a sair e tentar conhecer alguém. Porém, você não é o tipo de pessoa que acha que o termo quantitativo supre o qualitativo.

Primeiro, você chega na balada e observa que metade das mulheres está com um vestido que parece uma toalha enrolada no corpo. Já a outra metade está com uma regata branca, um casaquinho de couro, saia de cintura alta, uma bolsa transversal e o insistente 212. Mas até aí tudo bem, o uniforme faz parte. Não muito distante disso, você avista alguns homens com camisas polo de número 43 nas costas, barrigas salientes e acompanhados das mulheres mais bonitas da festa. Uns gastando o dinheiro que não têm, outros gastando por gastar, e outros, como eu, pensando em como tudo funciona naquele lugar. Nesse instante, por algum motivo, você se sente diferente daquelas pessoas.

Culturalmente instruídos em sempre segurar um copo na mão, seguimos o nosso caminho em busca de algo que, no fundo, não sabemos se realmente faz sentido. Alguns caras querendo se divertir e outros numa disputa inútil para ver quem é o mais frouxo. Frouxo simplesmente por não conseguir conquistar uma mulher só com o papo, por não saber jogar esse jogo de homem para homem. Bom... cada um usa as armas que tem. Mas, em meio à competição, me pergunto: onde está a conquista? Cadê o charme, o ato de arrancar um sorriso sincero, de você ficar com a mulher por ter falado a coisa certa na hora certa? Sem sensacionalismo. Só acho que as coisas estão perdendo um pouco da graça.

Então, depois de consecutivas experiências como essas, você acaba vendo que o mundo de balada é muito limitado e que o mais importante, que você tanto procura, não está e nunca estará ali. De forma alguma estou dizendo que não gosto de balada ou que balada é só para pessoas vazias, mas, infelizmente, na maioria das vezes, é isto que eu vejo: mulheres que querem levantar seu ego e homens que acham que baixar um litro de bebida os faz ser o macho alfa da festa.

É engraçado observar como, cada vez mais, as pessoas têm essa necessidade de mostrar ser uma coisa que não são e, principalmente, de ter seus egos exaltados. Chegamos num ponto-chave da sociedade em que máscaras valem mais do que expressões, garrafas de bebida em cima da mesa valem mais do que apertos de mão, e companhias falsas valem mais do que uma conversa sincera com a menina menos atraente da festa.

SOMOS IGUAIS

Estou aqui. Sinto as mesmas inseguranças que você, os mesmos medos e as mesmas dúvidas sobre um futuro incerto. Que profissão escolher? Será que determinada pessoa sente o mesmo que eu? Será que está na hora de pegar minhas trouxas e sair de casa? Será que estou fazendo o que realmente gosto de fazer? Será que minha mãe, namorada, amiga, irmã, avó ou qualquer pessoa de convívio diário nunca vai mudar seu jeito, às vezes intragável, de ser? Será que o certo seria largar tudo o que conquistei e viajar? Será que encontrarei alguém para se deleitar nessa vida comigo? Será que esse sentimento de náufrago pós-faculdade passará? Será que está na hora de me separar? Ou será que devo tentar reaprender a gostar? Será que estou trilhando o caminho certo?

A realidade é que, independentemente do contratempo, a elucidação sempre vem – de vez em quando com gosto amargo, mas vem. Você guarda essas dúvidas no seu interior e, na maioria das vezes, não tem com quem partilhá-las – mesmo porque ninguém iria entender, tampouco aceitar o que você realmente está sentindo. Nesse momento, o silêncio, a música e o céu são os seus melhores amigos, ecoando no único lugar onde nos sentimos acolhidos: nos nossos sonhos.

Mas e se, porventura, eu te disser que a maioria das pessoas que está lendo esse texto agora se encontra na mesma situação que você? E se, por acaso, elas também procuram aqui um sorriso como você? Estamos juntos e separados ao mesmo tempo, no entanto, talvez eu esteja, neste momento, reunindo várias consciências com problemas diferentes, mas sentimentos iguais. Com sorrisos diferentes, mas vontades iguais. Com sonhos diferentes, mas ímpetos de mudanças iguais. O importante não é a situação, mas sim a perspectiva. Como diz uma das minhas citações favoritas da peça *O leque de Lady de Windermere*, de Oscar Wilde: "Todos estamos deitados na sarjeta, só que alguns estão olhando para as estrelas".

Existem outras pessoas, como você, vivendo e sentindo exatamente as mesmas coisas, e provavelmente eu sou uma delas. Logo, não se sinta só nos novos labirintos em que a vida te colocar. Saiba que eles já foram vencidos por vários pares de sonhos iguais aos seus.

ONTEM EU TE DEIXEI TODA MARCADA...

Ontem eu te deixei toda marcada...

Naquela cama apertada que sugere você por cima, sua acomodação preferida. Cama que absolve nossos defeitos e enaltece nosso tesão em nos deslindarmos cada vez mais.

Por um acaso, fico à mercê dos seus caprichos e te dou toda a soberania para me fazer de gato e sapato. Dizemos palavras túrgidas da mais gostosa devassidão, retiradas de um dicionário íntimo escrito por duas pessoas que esqueceram com qual parte do corpo se deve pensar. Realmente, arrancar os gemidos mais libertinos da sua boca é um privilégio inestimável.

Acabamos, e eu te deixei cheia de marcas. Algumas visíveis, outras não...

Ah, como eu gosto desse sexo com premissa de sorriso matinal. Sexo com promessa de felicidade estendida no varal, para toda a vizinhança admirar o que eles não sabem mais como é faz tempo. Hoje só eu te conheço, mas todos sabem de onde vem esse seu sorriso. E a sua calcinha do avesso.

A FELICIDADE ESTÁ ONDE
EU QUERO QUE ESTEJA.

Dificuldade em expressar sentimentos

Sim, nós, homens, temos dificuldade em demonstrar nossos sentimentos. Digamos que a nossa cabeça dura e racional pense "Já estamos ao seu lado, precisa de mais alguma coisa?". Na real, sabemos que precisa, mas, na maioria das vezes, somos extremistas: ou demonstramos ser sentimentais demais ou frios demais. E quando, porventura, liberamos esse nosso lado emocional, ficamos frustrados e mal-humorados. Tudo isso pelo simples fato de estarmos demonstrando mais sentimentos do que define como "suficiente" a nossa vã filosofia.

Quando somos mais novos, é muito mais fácil expressar algum sentimento, pois ainda não temos cicatrizes. Com o tempo, a vida vai impondo certas amarras, ficamos desacreditados e passamos a achar que ninguém, realmente, é merecedor do nosso sincero afeto.

É horrível, para um homem, ser colocado contra a parede quando o assunto é sentimento. De duas, uma: ou vamos surrupiar verdades ou vamos falar o que vocês não querem ouvir. Quando tivermos certeza do que sentimos, falaremos, e, dessa forma, garanto que o nosso "Gosto de você" será muito mais valioso, espontâneo e verdadeiro. As pessoas deveriam valorizar mais um simples e genuíno "Estou feliz em estar contigo", não somente o nosso velho e insistente "Eu te amo" – mesmo porque, a meu ver, não é preciso dizer "eu te amo" para um relacionamento fazer sentido.

Não é porque não falamos dos nossos próprios sentimentos que não estamos investindo na relação. Infelizmente, precisamos de ajuda para expressá-los, precisamos nos sentir à vontade e confiantes em que vocês saberão reconhecer aquilo que, para nós, é tão difícil de falar. Homens são mais racionais, e é isso que dá o equilíbrio à relação. Existem casos em que a mulher é muito mais macho do que o próprio homem, e, em minha opinião, os papéis não podem se inverter.

Acredito fielmente que os sentimentos foram feitos para ser diluídos durante o relacionamento. É como um chocolate bom. Você não pode pegar e engoli-lo todo de uma vez, tem que sentir o sabor e deixar, simplesmente, acontecer.

MUDE SEUS HÁBITOS, DEPOIS O MUNDO

Afirmamos amar o sol, mas procuramos a sombra. Ansiamos urgentemente por um feriado, mas o desmerecemos caso nada de divertido aconteça. Mentimos para nós mesmos para nos proteger da autocrítica, mas categorizamos qualquer mentira alheia como deslavada. Criamos uma repulsa por sempre ter a mesma coisa para comer, mas não nos dispomos a levantar e fazer algo diferente.

Criticamos o descaso pelos animais que perambulam pelas ruas, mas não deixamos o nosso gosto capitalista e padronizado de lado para adotar um companheiro, às vezes, nem tão belo assim. Cuspimos opiniões sobre a péssima qualidade da educação pública, mas vamos aos locais de ensino sem vontade de aprender.

Buscamos, volta e meia, fugir de alguma *blitz*, mas reclamamos da falta de policiais nas ruas. Achamos burrice que nossa felicidade dependa da aprovação de terceiros, mas temos receio do que os outros pensam sobre nós. Gostamos de misturar doces e salgados, mas não respeitamos os gostos alheios. Queremos sempre mais, mas não refletimos se realmente somos merecedores de mais.

Cobramos amizades fidedignas, mas mal esperamos que saiam de vista para tecermos comentários questionáveis. Queremos maior acessibilidade e rapidez da tecnologia, mas afrontamos a falta de brandura das pessoas. Pregamos o moralismo nas redes sociais, mas não olhamos na cara do porteiro. Deixamos de ajudar um mendigo pressupondo o sustento de algum tipo de vício, mas reclamamos que o mundo está carente de gentilezas.

Questionamos a programação televisiva, mas não trocamos um capítulo de novela pela leitura de um livro. Alegamos não encontrar pessoas interessantes, mas, nem por um momento, largamos a tela do celular para arriscar um simples "olá". Observamos os erros alheios com lentes de aumento, mas vendamos os olhos diante dos nossos. Sabemos receber todo o amor do mundo, mas não sabemos perdoar os erros por amar demais.

Colocamos atenção em acusações injustas sobre nós, mas não olhamos quem nos fortalece com opiniões cheias de amor e bem-querer. Estamos constantemente munidos de críticas, vulgo "construtivas", mas não sabemos nos desnudar perante uma.

Não abrimos mão do nosso conforto diário, mas indagamos sobre a poluição mundial. Queremos ligações genuínas com outras pessoas, mas bloqueamos sentimentos para nos proteger. Gostamos da amplitude dos nossos egos exaltados, mas não aceitamos ser ignorados quando precisamos tanto ser vistos. Procuramos pessoas inteiras, mas só queremos doar metade de nós. Queremos mudar o mundo, mas não mudamos sequer nossos hábitos.

Ser solteiro

Não sou a favor do desapego, sou a favor da felicidade.

Namorar: ato consciente de dividir a vida com alguém. É simplesmente fantástico dividir a vida com uma companheira, perceber como cumplicidade e confiança são impagáveis, pegar e fazer juntos uma receita de comida da internet e todas essas coisinhas de casal. Todos sentimos um pouco de falta disso, mas saiba que se lamentar não resolverá nada. Curta a solteirice e aproveite o que tem que ser aproveitado agora para, depois, ter certeza de que você fez o que deveria ser feito.

Sei que alardear a sua carência pode, de certa forma, te aliviar um pouco, mas a pergunta é: você quer parecer uma idiota? Sejamos práticos e emocionalmente inteligentes: não é mais fácil você resolver isso dentro da sua cabeça? Não estou falando que você não pode ter fraquezas, só para pensar bem em com quem vai dividi-las.

Acho que ser solteiro é muito mais do que simplesmente ficar com pessoas. É a sua liberdade, é não dever nada a ninguém, não dar satisfações, não ter que cuidar de ninguém, é poder viajar e fazer o que você bem entender. Muitos poderão falar "Tá, mas viajar junto é bem melhor". Beleza, mas essa opção não está em pauta. Saiba se curtir, pegar a sua mochila e sair por aí sem rumo, sem ninguém, só você e seus pensamentos. Coloque um fone e aproveite o que a vida pode te oferecer.

A solteirice é uma fase necessária para pegarmos segurança em nós mesmos, para nos sentir desejados e aprender coisas novas. E, na minha sincera opinião, para nós, homens, é a que mais proporciona boas lembranças. Lembranças necessárias para chegar num futuro próximo e dizer "Caralho, minha vida valeu a pena".

Nós, seres humanos, temos a burra mania de sempre querer o que não temos. O negócio é viver o momento, e o resto vira consequência do destino. Não sei se existe destino, mas, de certa forma, essa possibilidade nos tranquiliza.

Acredite, daqui a um, dois ou três anos você vai pensar "Nossa, lembro que eu ficava reclamando e hoje estou aqui superfeliz. Como eu era idiota". E esse é o charme da vida. Tenha em mente que a sua melhor fase sempre será o presente. Então, aproveite sua solteirice, pois ser solteiro não é nada mais nada menos que namorar a vida.

A COR DO QUERER

Cor do querer, que mistura e clareia de acordo com o sorriso torto dos pincéis. Pincéis que pedem céus de batom e mares de beijos melados. Todos vibrantes e malandros.

Imensidão colorida, que anseia mais e descobre lá um cavalete deserto, pronto para ser pincelado com as venturas de uma vida em tela branca. Sem regras, podemos traçar nossas invenções e nos definir como pintores da nossa própria história.

Lilás fraterno que escorre pela espátula e pinga amores no chão da nossa casa. Diz juntinho de mim. Sou o teu colorido a fazer molduras em torno das nossas felicidades irretocáveis. Querer querido, de alegrias contorcidas e dores estendidas, mas nada que o nosso deitar não resolva. Deitar tom vermelho e verde, que dorme entre nós e acorda marrom. Mistura linda de cores e amores.

Amor agitado que desordena pincéis de emoções e aquarelas de concessões dentro do nosso estojo de lençóis matizados. E que assim a nossa paleta esteja sempre preenchida e a tela que pintamos juntos nunca desbote.

Diferenças entre um homem e um menino

Os dois podem fazer as mesmas coisas, mas o que os diferencia é a maneira como as fazem.

Homens também querem se apoderar das curtições da vida, também querem ficar com uma ou outra por aí, mas a diferença é que um homem sabe deixar claro que só pode te proporcionar isto: uma simples e avulsa aventura. Não hesito em dizer que perdedor é o cara que precisa enganar uma mulher para conseguir comê-la. Enalteço sempre que possível o uso da sinceridade – até porque acho a maneira mais simples de sermos felizes e, principalmente, de deixarmos que os outros também o sejam. Ser homem é saber respeitar o próximo sem deixar de fazer as suas vontades.

Em um relacionamento, as coisas se evidenciam. Sou convicto em dizer que um homem sabe cuidar da sua mulher e, sobretudo, valorizá-la perante os outros. O tempo e suas respectivas vivências ensinam a importância de ter uma companheira ao seu lado. Bundas são legais, eu também acho, mas não é essa bunda que vai topar ficar comigo em casa fazendo nada quando eu estiver sem dinheiro.

Já os meninos nem sempre são capazes de ceder – o que, em minha opinião, é um dos quesitos mais importantes em um relacionamento. Querem fazer tudo do jeito deles, não sabem dialogar, colocar as coisas na mesa e decidir o que é melhor para os dois. Sim, homens também têm suas manias, porém, no fim das contas, fazemos o que tem que ser feito – quando possível, claro.

Homens também têm medos, mas a diferença é que não deixamos de agir por causa deles. Ser um homem é ter visão e ação frente ao mundo. É buscar plenitude e autenticidade nos horizontes e passos da vida. É ser fiel à sua farda. Gosto dessa vertente na qual o homem dá a certeza. Não precisamos ter certeza sempre, mas precisamos demonstrar ter certeza sempre.

Ter um pau e dizer que é homem é fácil. No entanto, ser homem vai muito além da quantidade de mulheres que você já conquistou na vida. Na real, ser homem não tem nada a ver com mulher. Ser homem é ser homem para si mesmo, ser íntegro consigo, se conhecer, saber que todo ato corresponde a uma consequência. É entender que, a partir do momento em que você se enxerga como homem, os outros te veem assim também.

É SEMPRE ASSIM...

É sempre a mesma história: nos doamos inteiramente a alguém, criamos futuros em pensamento e nos dedicamos a iniciativas--surpresa, até que, um dia, tomamos na bunda e achamos que ninguém é realmente merecedor do nosso afeto. Abrir-se de novo é difícil. Eu sei, você sabe, o João sabe, a Maria sabe...

Não gosto de ser vulnerável. Não sei se isso é egoísmo por não querer dividir o melhor de mim ou se é o sistema imunológico do meu inconsciente falando mais alto. No fundo, a sociedade nos pressiona a seguir um padrão, casar e formar uma família; porém, no auge da minha frieza mental, eu não consigo decodificar a minha real vontade. Sinto-me confuso, mas, claro, sigo minha ética de não demonstrar minhas confusões. Guardo-as para mim e para o meu Grilo Falante.

É tão gostoso viver no meu mundo, com as minhas regras principalmente, onde a estabilidade emocional reina. Só quero ficar sereno, curtir e me perder na imensidão de todos os sonhos que ainda desejo realizar sozinho. Às vezes bate aquela carência, repensamos os horizontes da nossa vida, sentimos algo denominado "sei lá" e vamos dormir para ver se passa. E sempre passa...

DE VERDADE SÃO AS
CONVICÇÃO DO SEU VALOR
NÃO SOMENTE

PESSOAS QUE QUEREM TER
NO MUNDO,
NO CORAÇÃO DE ALGUÉM.

DE LADINHO

Está frio e chovendo. Típico dia em que você gosta de ser comida de ladinho, ao som da chuva que insiste em bater em nossa janela de forma penetrante. Acho que o segredo dessa posição sempre foi – e sempre será – a vulnerabilidade do pescoço e a possibilidade de calmaria rente ao colo. Mas o maior segredo mesmo está em poder te guiar só com o ritmo e a entonação da respiração. Respiração. Piração. Ação. Nem sei mais, me perdi em meio às cobertas e aos prazeres.

Já para tirar a sua roupa, deve haver certa astúcia. Meus dedos estão gelados, então preciso ser cauteloso para não te causar calafrios, e vou desviando das tuas curvas enquanto esquento minhas mãos de modo não tão convencional. A gente se camufla entre as dobras das cobertas e, de repente, se acha. Cheios de tesão. Como se aquela cama nem fosse nossa. Como se nossos pés nem estivessem gelados. Como se a gente nem estivesse de ladinho. Como se você nem estivesse gemendo para as gotas de chuva que, descaradamente, nos observavam.

Nessa noite, a provocação não está nos tapas nem nas posições, mas no falar provocante e no alento quente pertinho da orelha. Eles ditavam o compasso e as regras, e, para nós, aquilo era o suficiente. A gente lutando contra o frio da forma mais gostosa do mundo. Quiçá do universo. E, como recompensa, te deixo dormir no cantinho da cama – aquele que encosta na parede, meu recanto predileto. Pode encher de travesseiros e inserir nele todas as suas manias. Travesseiro no meio das pernas. Uma perna para fora da coberta e outra, não. Hoje a cama é sua, é você quem manda.

E, quando você acordar, vou estar com a minha samba-canção de elástico folgado jogando *waffles* para o alto. Pronto para deslizar entre os cantos da nossa casa e te surpreender com um café da manhã digno de orgasmos. Múltiplos. Como os sabores de geleias que levarei para adoçar o nosso dia. Mas, claro, tudo isso se você fosse a minha mulher, estivesse na minha cama, e não aí sentada lendo esse texto com essas meias por cima da calça e esse pijama de tia.

SAIBA SOFRER

Sentir a dor é necessário. Mas sentir mesmo, não jogá-la para debaixo dos panos sem reorganizar e inverter as prioridades. Falo de chorar, sofrer e consternar-se para, depois, ser digno de sorrir verdadeiramente.

A gente só sofre por algo que ainda não entende ou aceita. Talvez poucas pessoas saibam disso, mas é apenas uma pequena amostra do viés da vida. Eu perdi meu pai e minha irmã nessa minha curta jornada de vida. Confesso que para mim não há sofrimento maior do que esse – tão intenso que, provavelmente, até hoje, eu ainda não saiba onde colocar toda essa saudade. Acho que nos meus sonhos ou na minha vontade de viver, vai saber…

Se eu não tivesse sentido o que deveria sentir na hora, provavelmente estaria sofrendo e confuso até hoje. Seria como botar um ponto final em uma paixão, saudade ou desavença com ódio. Seria assegurar um sofrimento prolongado e sempre presente. E eu precisava saber separar o passado do presente. Sim, saber sofrer é sinal de inteligência emocional. Mas falo do sofrer de não saber onde colocar a dor, de querer explodir entre quatro paredes, de se perder dentro de casa e, principalmente, dentro de você.

Não quero falar difícil nem brincar com as palavras, só te lembrar que você não precisa dizer a todos que está melhor. Sofrer gritando suas pseudomelhoras ao mundo é coisa de adolescentes e amadores. Aceite estar desolado, mas não se desnude perante os outros. Sente-se no seu quarto, sala ou até naquele sofá perto da varanda – igual ao meu – e leia um livro, respire, chore e guarde essas dúvidas e certezas para você. Lide com isso de forma madura, aprenda a ser gente grande na marra, domine seus sentimentos e coloque-os no seu devido lugar. Cure suas mágoas clareando os seus horizontes e não postando fotos segurando um copo de bebida em uma festa deserta de autenticidade. Sofrer verdadeiramente não te faz menos homem ou mulher. O que te faz mais homem ou mulher é saber sofrer com maturidade.

A verdade é que o vazio da vida pesa. Pesa por não nos dar direção, por nos desnortear e por não deixar a gente se encontrar consigo mesmo. O vazio da vida está em viver na defensiva, sem amar, sem sofrer, sem arriscar, sem admitir quem você é, sem tirar as máscaras das vaidades, dos medos, dos preconceitos. No auge das minhas vivências, acredito que quanto mais velhos ou mais perto da morte ficamos, mais perdemos a capacidade de mentir para nós mesmos. Parece que, cada vez mais, entendemos a importância de ter vivido uma vida digna de sentimentos e fluências sinceras. Os sentimentos vão ficando mais intensos e à flor da pele, pois só temos uma única chance de ser verdadeiros. Pessoas no leito de morte são pessoas de verdade.

Esse é um texto da vida real, daqueles que não têm o objetivo de ludibriar nem enaltecer ninguém, mas sim de juntar pessoas e fazê-las sorrir ou chorar juntas. Hoje eu escrevo para momentos. Momentos que mudam de endereço, mas não de identificação. Que mudam de intensidade, mas não de significância. Que mudam de coração, mas não de essência. Quando aprendermos a respeitar os momentos, talvez a gente aprenda a respeitar as pessoas.

Homens, a conquista e o sumiço

Todo homem quer – ou já quis – conquistar uma mulher, sentir-se o mestre dos magos na arte da conquista e testar o seu real poder de sedução. Toda mulher quer se sentir linda, ser elogiada e, assim como os homens, também testar o seu poder de sedução.

Aí, após um encontro regado a reciprocidades, você pensa "Foi tão legal, espero não ter feito nada de errado...". Eu te respondo, com toda a convicção do mundo: você foi você? Então não fez nada de errado.

Assumo de cara limpa que já me frustrei algumas vezes por ficar com alguém e não firmar um compromisso. Erro meu, insegurança minha e, principalmente, consequências minhas. Mas só assim aprendemos a mensurar o que realmente é importante para nós. Nessa valsa que é a vida, também aprendi que podemos ter dúvidas, só não precisamos deixá-las transparecer em nosso semblante.

Acho uma besteira isso de "Não corra atrás", "Se você saiu com ele no sábado, só mande mensagem depois de seis dias úteis". Acredito na seguinte máxima: se existe um gostar, vou te querer, correndo atrás ou não. Só tenha bom senso.

"E por que vocês somem, então?"

As pessoas não somem, elas perdem o interesse. Mas só perde o interesse se já esteve interessado. Você não se relaciona uma vez com um cara e ele simplesmente some. Mesmo porque, não teria como ele sumir se nem sequer esteve realmente presente e interessado. Antes de alguém sumir de verdade, você tem que gerar o interesse e, claro, a presença dessa pessoa.

Nesses caminhos sinuosos que atravesso percebi que, para muitas mulheres, falta a malícia da vida. Falta compreender e aceitar que a vida é assim e que ninguém é obrigado a ficar com você, mas sim respeitar e deixar a situação sempre bem clara. Se eu só quero sexo, você saberá e, se não souber, é porque não quer enxergar.

"Eu fiz de tudo por ele."

Vou te dar uma opinião bem pessoal: não faça de tudo por alguém. Ninguém merece o seu tudo. Guardo o meu tudo para quem queira me dar o seu tudo também, e, para isso, precisamos de tempo, conquistas, vitórias, momentos felizes e o mais importante: confiança. Não confiança em que essa pessoa não vai te largar um dia, mas confiança em que a pessoa saberá respeitar para sempre aquele momento que foi exclusivamente de vocês.

Não existe regra. Você não precisa deixar de ser assim do seu jeitinho, só precisa saber quem realmente o merece. Por fim, o que eu quero dizer com tudo isso é: seja você.

VIVA O SEXTO SENTIDO!

Mulher, que tem como maior desafio: ser mulher. De corpo meigo, pequeno, grande, desproporcional, bonito, diferente, confortável, assimétrico. Que inspira franqueza no sorriso incessante, que cativa e, por fim, nos convence a ser sempre dona da razão.

Mulher afagadora das piores quedas de bicicleta, dos desvios dos pedaços de Lego pela casa, dos conselhos quase sempre certeiros, das cobranças ditas "chatas", mas necessárias para um futuro notável.

Mulher, que tem como raiz a sensibilidade. Das incertezas profundas, das certezas não assertivas, dos receios dobrados e do carinho incondicional. Que se alucina por desventuras, que sabe a importância das melancolias, que aprende com os obstáculos e que, em meio a tudo isso, ensaia diálogos fantasiosos. Aquela que sabe ler nas entrelinhas, mesmo quando elas não existem. Dos ímpetos às vezes desnecessários, das crises indecifráveis, dos questionamentos retóricos e dos desejos nem sempre estendidos no varal.

Mulher, que se deleita com aquele puxão de cabelo confiante, que reconhece o pegar das pernas com firmeza, que enaltece a virilidade de um homem, mas não descarta a brandura necessária para tornar aquele momento, no mínimo, inolvidável. Apreciadora da mescla de aconchego e safadeza; que engrandece entre quatro paredes, carecendo de mais carinho, atrevimento e menos mão de alface.

Mulher que sabe encantar e se deixar encantar. Que almeja mais do que um falo provedor de sustento e se dedica com fervor e zelo a alcançar as conquistas pessoais. Que se orgulha dos seus dons, dos seus afazeres, das suas particularidades. Que se defende dos rótulos diários com olhares convictos, merecedora de um espaço que conquistou com o próprio brio. Que sabe discernir os homens e, assim, vivenciar um relacionamento que não é pautado nem pelo machismo nem pelo feminismo.

Mulher de prantos borrifados por vestígios de amadurecimento, desbravadora dos caminhos mais árduos e sempre disposta a doar um pouco da sua polivalência – mesmo que em momentos inoportunos. Bem-aventurada nas gincanas da vida e tão devota às suas vontades que sabe desfibrilar os próprios sentimentos desviando-se da amargura e encontrando, em pequenas brechas, a felicidade.

Não vou ser piegas a ponto de dizer que toda mulher merece amor e afeição; merece respeito. Parabenizo você, mulher, que sabe ser digna da própria farda sem precisar gritar aos quatros cantos que é uma mulher “de verdade”.

UM DIA...

Com meu ar rabugento, olho para minha casa e sinto falta de um toque feminino. Por outro lado, sou egoísta, não gosto de dar satisfações, compartilhar o meu mundo repleto de besteiras e, principalmente, dividir o lado da cama encostado na parede gelada durante o verão.

Vagando pelos corredores com uma samba-canção de desenho e barba malfeita, me pergunto: será que posso viver assim para sempre? Não vejo problemas nem sintomas, estou ótimo. Até acho que cuidar de três golden retrievers e dois filhos sozinho seria uma missão difícil, mas eu me viro... Não gosto de esperar o pãozinho quente na padaria, quem dirá esperar por alguém?

Vivo sem anseios – até porque a distração coopera para a realização de qualquer sonho meu – e, talvez, eu goste demais de coisas que vêm e vão para ter algo do tipo duradouro. Mas, claro, quero mudar de opinião.

Um dia...

Inteligência emocional

Penso que essa seja uma das conquistas mais importantes na vida de uma pessoa que deseja ser plena, tanto emocional quanto profissionalmente. Antes de qualquer coisa, precisamos aprender a não deixar nossas emoções controlarem a nossa inteligência. E ter essa tal inteligência não significa que não vamos sofrer, mas que compreendemos os riscos que corremos.

A inteligência emocional consiste em saber o que fazer e também quando fazer, mas consiste, ainda mais, em pensar duas vezes antes de falar. Ao longo da vida, aprendi que não precisamos entender as emoções dos outros, basta aceitá-las e respeitá-las. Dessa mesma forma, precisamos aprender a lidar com os nossos próprios sentimentos, a traçar um caminho e a ter foco. Pessoas inteligentes não mudam suas perspectivas, apenas se adaptam às novas situações. E essa é a maior arma que se pode ter.

Aprenda a dizer "não". Essa é uma das coisas mais importantes que você pode aprender na vida. Devemos, cada vez mais, pensar em nós – não de forma egoísta, mas de modo a evitar futuros sofrimentos e frustrações. E de maneira alguma você deve se sentir culpada pelo fato de atender primeiro às suas necessidades.

A segurança é o melhor caminho para a felicidade. E é isso que procuramos, não é? A felicidade. Adquiri-la é um trabalho diário. É assumir responsabilidades. É ser flexível. É construir castelos de sonhos e seguir sempre rente ao mar para pegar um pouco de água e regá-los quando necessário. É ser gente grande quando tanto queríamos ser crianças.

E sabe o que aprendemos com tudo isso? A tomar certas decisões sem medo, a descobrir até onde vão os nossos limites, a nos expressar melhor, a ter menos vergonha de coisas que nos trariam tanta alegria, a ter certeza de quem nos merece e, por fim, a não depender de ninguém para sermos felizes. Falando em dependência, bem que todos nós poderíamos tirar essa palavra do nosso dicionário.

Posso dizer de boca cheia que o que nos falta é saber dosar. Afinal, a única diferença entre o remédio e o veneno é a dose.

UMA PESSOA INTEIRA
NÃO MERECE
UMA PELA METADE.

O RESPEITO SEMPRE SERÁ...

Não sei por que tu fizeste isso comigo. Sempre tentei ser tão claro com você, com a tua família, com os teus sonhos e desejos. Te protegi de todas as formas que um homem poderia proteger, e você me deixou sentado no chão, no desalento. Lutei contra a minha própria frieza para te aquecer, fui conduzido a me doar cada vez mais e me perdi nas minhas próprias mudanças.

O meu zelo por você foi exposto ao vento, que, sem piedade, o levou para longe, sem me dar chances de conseguir pegá-lo de volta. É uma sensação de incapacidade tão grande... Lembro-me bem de quando sua mãe estava doente e eu ia visitá-la – apesar de não haver empatia entre nós, eu sempre levava as revistas de que ela mais gostava. Não havia motivos para não fazer vocês sorrirem.

Por que você abriu o meu vinho da vida se não iria tomá-lo por inteiro? Deixasse outra pessoa, que soubesse a responsabilidade de abrir um vinho desses, degustá-lo. Uma pessoa que tivesse maturidade para entender seu real valor e estivesse disposta a apreciá-lo com muita devoção.

Fui enganado, e o que me entristece não é tanto a sua falta, mas o jeito com que, agora, você me fez olhar o mundo. Fico com repulsa só de lembrar que trabalhei igual a um camelo aos sábados só para te levar para jantar num restaurante legal de vez em quando. Se você soubesse como é importante esse reconhecimento para um homem... Eu trabalhava com o maior gosto do mundo, de verdade, mas precisava daquele teu sorriso de agradecimento. Precisava de quando você colocava o talher suspenso perto da boca para me agradecer, com aquela risada contida de quem estava de boca cheia.

Trato aqui não de amor, saudade, carinho ou melancolia, e sim da falta de estima por quem te quis bem. Não se arranca de alguém a altivez nem a esperança nas pessoas. Isso é inaceitável. Não estou em prantos ou triste, apenas vazio. E essa, sem dúvida, é a maior violência que você poderia cometer contra mim: banalizar os meus sonhos. Mas eu sigo adiante, e o que fica é o meu desgosto, não por ter te perdido, mas por você não ter respeitado aquele que sempre tentou ser o teu maior protetor.

O que estraga um relacionamento?

Todo mundo diz querer um relacionamento perfeito, mas eu me contento com um que funcione. Começamos uma relação com o intuito de dar certo (obviamente), de ter alguém para nos completar e, principalmente, ter uma parceria de longa data. Uma pessoa companheira que vá contigo desde pescar caranguejos no Alasca até mobiliar a nova cozinha da sogra. Partindo dessas ideias, separei as três atitudes mais comuns para estragar um relacionamento que tem tudo para dar certo:

DÚVIDAS

Se você namora uma pessoa que não sabe se casa ou compra uma bicicleta, entende que não tem coisa pior do que ficar com alguém indeciso e sem firmeza. Que não te olha nos olhos pra dizer "Quero ficar com você e nada mais". Essa segurança é importantíssima para que possamos nos sentir confiantes e dar o nosso máximo. Digamos que seja simples: fique comigo se você realmente quiser ficar comigo. Não quer? Então me deixe ser feliz em outro lugar.

COMODIDADE

Problema típico de pessoas que não terminam um relacionamento porque, na verdade, têm preguiça de aguentar todo o transtorno que um término gera. Mas, principalmente, têm medo de ficar sozinhas, de não ter com quem cozinhar, com quem ver um seriado etc. Nesse momento, esse tipo de pessoa pensa "Vou ficar com ela até achar outra". Enfim, a comodidade se torna a maneira mais fácil de não deixar as pessoas encontrarem a própria felicidade.

ROTINA

Quebrar a rotina não é só inovar, e sim se preocupar com a felicidade do outro. Não é preciso mudar, mas surpreender. Acho que não existe coisa mais gostosa do que receber uma surpresa, desde um café na cama até um despretensioso "Sabia que eu te acho linda?".

Saber abrir mão das coisas: esse é o segredo. Um dia faço o que você gosta, no outro você faz o que eu gosto. Um dia entendo a sua histeria sem motivo, no outro você entende o meu mau humor por causa do trabalho. Um dia entendo a sua vontade de comer algodão-doce às duas da manhã, no outro você entende a minha vontade de ficar quarta-feira vendo futebol.

Quaisquer que sejam as diferenças e as turbulências da vida, sentar e conversar sempre será a melhor solução para continuarmos caminhando juntos.

QUEM NÃO GOSTA DE BEIJOS?

Um beijo bom se sente, se entende, se molda. É preciso ser inquieto, ter malícia e, principalmente, saber a dosagem exata de safadeza, para não perdermos o nosso carro-chefe: o carinho. Durante o beijo, o gostoso é trocar as rédeas. Cada um domina um pouco e adverte o outro de que, a partir de agora, provocar é uma regra que deve ser seguida à risca.

Gosto de beijos que dão suspeita de saudade. Daqueles brincados, com direito a mão atrás da nuca, cabelo atrás da orelha, duelo de mordidinhas e a minha melhor barba desbravando o seu melhor caminho: o da boca até o ouvido. Engraçado, mas eu sei exatamente o que você gosta de ouvir sussurrado ao pé do ouvido; e, como recompensa, só quero arrepios – daqueles que se traduzem em palavras como "Não para" no nosso dicionário íntimo. Você, melhor do que ninguém, sabe do que estou falando, e, no auge dessa saudade, te digo com todas as letras que não existe coisa mais gostosa do que isso. Nem Nutella.

Gosto de viver essas venturas em forma de beijos de todos os tipos – carinhosos, safados, contidos, fortes, delicados, envolventes e os mais gostosos de todos: os beijos que não querem ficar só em beijos. Beijos com segundas intenções, que, na verdade, são apenas as primeiras.

UMA AVENTURA, SÓ ISSO

É tão fácil te enrolar... Não porque eu seja bom nisso, mas porque, no fundo, você tenta mudar algo que eu estou certo de que não vai conseguir. Te dou todas as pistas e falo com todas as letras que não vai passar disso, mas, por algum motivo, você insiste em tentar transformar a minha vontade (o que, infelizmente, só vai acontecer quando eu quiser). As coisas são fáceis de entender, o problema é que você não quer aceitar. Quer curtir comigo? Estamos juntos. Quer começar a impor limites? Vou embora.

Sempre deixei claro ser somente uma aventura e de forma alguma vou me punir pelas dores das suas expectativas não atendidas. A partir do momento em que não te prometo nada, posso tudo. Estou sendo o mais sincero possível, não era o que você queria? Não vou deixar de fazer as minhas vontades, assim como não quero que você deixe de fazer as suas. Somos pessoas livres, unidas pela sorte e um beijo. Talvez dois.

Você não imaginava estar vivendo isso comigo nem que eu poderia te retribuir todo esse carinho – muito menos que sairíamos para comer *sushi* e eu te ensinaria a usar o *hashi*. Sei que o ser humano quer sempre mais, só não sei como proporcionar mais sem te dar esperanças de um futuro.

Confesso que minto às vezes, mas não para te enganar. Só por existirem certas coisas que você não precisa saber, coisas que já passaram... E eu sei que você endoidaria e criaria mil teorias sem fundamento algum para estragar o que está tão gostoso do jeito que está.

Um dia, ao ver essa história com algum distanciamento, você vai entender. Quando eu disse para irmos mais devagar, para dar tempo ao tempo e, principalmente, para deixar de imaginar o futuro daquilo que estamos vivendo hoje. Só quero te curtir, sem idealizações – até porque te devo respeito e não uma aliança.

E aí... Ainda topa vir comigo?

Uma mulher *sexy* vale mais que qualquer gostosa

Toda possibilidade de ser *sexy* está entre autenticidade e atitude. Por natureza, nós, seres humanos, temos atração por pessoas seguras, determinadas, convictas do que querem e, ainda mais, do que fazem.

A meu ver, uma pessoa se torna *sexy* naquele breve momento em que começamos a achá-la linda pelas atitudes escancaradas do dia a dia, e não por seus atributos físicos. Compreenda que você pode ser *sexy* saindo da piscina com o cabelo molhado, tocando violão, usando aquele pijaminha de algodão, fazendo um coque ou qualquer coisa rotineira que vocês, mulheres, não percebem, mas que nós, homens, achamos o máximo.

Ser *sexy* não é só questão de corpo, mas sim de essência. Acredito que esse termo explore muito mais do que, simplesmente, bunda e peito em uma mulher. Ele revela em você o que há de melhor, a questão de saber provocar, de ser delicada, elegante, dominar – e tudo isso com aquela sutileza feminina, que nos deixa assim, sem reação.

Antes de ser *sexy*, você tem que se achar *sexy*. O segredo está longe de ser gostosa; o que vale é saber ser gostosa. Com atitudes, olhares e confianças distribuídas em sorrisos sinceros.

O charme consiste em estar bem consigo, vestir uma roupa da qual você gosta, sair para caminhar e sentir-se *sexy* assim, naturalmente. Nós, homens, gostamos de ver uma mulher segura de si, e percebemos por seu caminhar, postura, sorriso e olhar se você é assim ou não.

Este é um princípio básico da mulher *sexy*: fazer o que lhe agrada e não algo que acha que os outros vão gostar. Faça o que você quer, a vida é sua, não tem mistério. Por isso, acredito fielmente que a palavra "*sexy*" esteja extremamente associada à palavra "autenticidade". Ser *sexy* é uma questão de atitude, não de beleza.

ESPERO NUNCA TROCAR OS MEUS AMIGOS PELOS MEUS AMORES

As coisas acontecem, a gente muda com a gente e com os outros. Saímos do colégio, franzinos, e vamos à vida. Largamos os encontros diários com os amigos, os amigos viram colegas e os colegas, possíveis conhecidos. Alguns casam, outros viajam, trabalham muito ou criam em si uma mentalidade de uma velha de 70 anos.

Apesar de todas essas mudanças, quero continuar com os mesmos valores, os mesmos sonhos e imune às mudanças que a sociedade tentará me impor. Prometo para mim que sempre serei eu mesmo: simples, bobo e articulador de todas as minhas virtudes com um sorriso no rosto.

Espero, também, não ouvir de ninguém que mudei. Sei que o tempo fica escasso; os amigos, raros; a felicidade, driblada no cotidiano cada vez mais rotineiro; e os trabalhos, incessantes. A gente cresce e muda de opinião, de companheiros, de vivências... mas não podemos mudar de essência. Espero ter maturidade para continuar sempre assim – mesmo quando eu conquistar o mundo ou o coração de alguma doida por aí.

Aos amigos – àqueles que consigo contar em uma só mão – deixo aqui escrito um texto atemporal. Algo que tem como objetivo manter a nossa amizade forte e intacta. E para que, se por um acaso – ou por uma louca vestida de tenista – eu me desviar do que sempre fomos, vocês venham aqui e me puxem a orelha.

Peço desculpas pelos momentos em que faltei nas viagens programadas ou quando peguei no pé de vocês para largarem a namorada pentelha e virem comigo para alguma das minhas jornadas loucas. Peço desculpas pelas piadas bestas carregadas de pouca sofisticação e muita sacanagem. Peço desculpas pelas ligações bêbadas durante a madrugada com histórias de pouco sentido. Peço desculpas pelo ímpeto arredio e pela cara de bunda quando, sem motivos genuínos, não me deixavam ficar no ataque durante o nosso sagrado futebol do final de semana.

Apesar dos pesares, espero que as nossas desavenças tenham sido agregadoras de fortalecimento. Então, caso um dia eu não esteja mais aqui, lembrem-se deste texto. Pois, além de ser charmoso, acho que seria bem a minha cara deixar um testemunho sensual desses. Quero poder vê-los sempre que possível para bebermos e lembrarmos as histórias que trilhamos juntos. Espero nunca trocar os meus amigos pelos meus amores. Sejam eles o meu trabalho ou as mulheres.

EU ROUBO
O SEU PRIMEIRO BEIJO,
PEÇO O SEGUNDO,
TE COBRO O TERCEIRO
E TE CONVENÇO
A IR PARA O QUARTO,
BEIJO.

DESAPEGO EM FORMA DE CARINHO

Te ligo em plena madrugada de sexta-feira. Você é inteligente e sabe que não é saudade, só vontade de te comer de novo. Qualquer outra consideraria um descaso e me acharia um idiota, mas você era diferente... Aquele momento era nosso, estávamos em comum acordo; e, apesar do desapego sentimental, eu sempre tive a maior paciência para ouvir se você preferia Veneza ou Paris e para conversarmos sobre as banalidades das nossas rotinas.

Sabe, era uma mescla muito intensa de carinho e safadeza para um mero lance casual, mas talvez esse fosse o charme. Éramos só nós ali, desabotoando a timidez com palavras, arranhões, puxões de cabelo e qualquer coisa que fizesse as paredes daquele quarto sumirem. Pelo menos por um instante.

Nossa relação era como uma carta sem endereço. Sabíamos que ela não chegaria a lugar algum, mas não importava, porque só nós precisávamos saber o que havia dentro dela. Vou embora com um sorriso no rosto pelo simples fato de saber que ele combinava com o seu, garantindo que o respeito terá sempre a mesma importância nesse jogo. Um jogo regrado por beijos, tapas e vários sorrisos.

Controle sexual de um relacionamento

Uma das coisas mais gostosas do sexo é quando os dois sabem conduzir e, principalmente, transpassar a sensação de sentir-se querido. A meu ver, não existe nada melhor no mundo do que estar no trabalho e sua mulher ligar dizendo "Estou aqui em casa, na nossa cama e, se eu fosse você, vinha rápido!". Todos nós queremos agressividade sexual, vontade e desejo. E é isso que faz o sexo ser bom: a vontade.

Assim como as mulheres gostam quando falamos quão bonitas estão, nós, homens, também gostamos que elas lembrem como é bom fazer sexo sem ser programado. E, no decorrer da minha vida, acredito que essa seja uma das maiores queixas dos homens: a falta de iniciativa das mulheres. Normalmente, nós iniciamos o ato, nós demonstramos vontade e nós criamos o clima. O fato de a mulher tomar a iniciativa de querer transar torna o sexo muito mais prazeroso para nós.

Obviamente isso vai do jeito e da personalidade de cada um. Há quem goste de mulheres mais quietinhas e quem prefira – como eu – as mais difíceis de domar. Até porque creio que o atrito da relação a torne mais duradoura e intensa. Falo de um atrito leve e sadio, em que os dois tenham opinião própria e defendam suas ideias.

Também, de nada adianta você ter a iniciativa e, depois, fazer por obrigação. Não tem coisa pior do que fazer sexo sem vontade. De qualquer forma, sabe qual a maneira mais fácil de demonstrar vontade depois de tomar a iniciativa? Com sons, pegadas, gemidos, falas perto do ouvido, puxadas de cabelo e coisas do gênero. Garanto que isso é muito mais excitante do que qualquer penetração displicente. Um relacionamento sexualmente feliz é aquele em que um sente tesão em ver o tesão do outro.

MERGULHANDO NOS SENTIMENTOS

Cabeça flutuante. Que não consegue clarear os horizontes. Que cutuca a saudade e mexe no vespeiro dos sentimentos inóspitos. Corpo esmorecido. Que brinca de esquecer e, na selva da vida, silencia os próprios sonhos. E, quando desbrava a selva da mente, descobre lá um riacho cristalino, cheio de amor para dar. Profundo ou não, é amor em sua essência.

Com receio da imersão, achamos desculpas e determinamos que quem desistiu nunca quis de verdade. Mas confesso: eu não desistiria do amor nem se a água estivesse fria. Água aquela que reflete a saudade de um amor perdido ou de uma paixão mal aproveitada. Que molha os pés de quem se arrepende de não ter mergulhado de corpo e alma. Os sentimentos são assim: um emaranhado de águas e selvas, que só permite que quem adentra sem medo descortine suas belezas.

Um possível futuro perdido? Um recomeço necessário? Nunca vamos saber. A vida é isso: riachos de amor, mares de saudade e cachoeiras de arrependimentos. Então, que aprendamos a nadar.

CONTIGO MEU SORRISO SEMPRE SERÁ INÉDITO

Contigo desfiro sorrisos que estavam guardados e empoeirados num pote abarrotado de frustrações. Daqueles que dão vontade de desenhar com giz de cera no papel-bandeja de um restaurante de esquina. Daqueles que dão vontade de me aventurar na cozinha e preparar um prato diferente ao som de Djavan, com o meu avental não tão másculo, admito. Daqueles que dão vontade de colocar um casaco de lã para quando a friagem chegar.

Eu sou o meu próprio poema e me avolumo em busca de novas alegrias. Inclinados a sempre nos lambuzar de gargalhadas, o que seria de nós se não nutríssemos as nossas fantasias diariamente? Quero te fazer rir e, como consequência, trazer toda essa felicidade à tona.

Ficaremos, enfim, na imensidão de um sorriso espraiado, que sabe calar as dores e engrandecer o valor de procurá-lo mesmo na ausência de razões cristalinas. Um sorriso sem nome, sem dono e sem motivo, mas que, até hoje, não encontrei igual. Talvez seja ele a engrenagem que move o mundo. Talvez seja você a torná-lo sempre inédito.

UM SIMPLES GOSTAR

Hoje eu quero paz de espírito e um gostar simples. Daqueles rotineiros e apaziguadores, em que a gente possa se pacificar juntos – assim, bem cadente, bem gostoso, bem tranquilo...

Não quero mais consternações, teorias ou joguinhos premeditados. Só quero sentar, admirar a paisagem e vagar entre os olhares tranquilos e certos de que, ali, existe alguém que talvez não seja a paixão mais louca do mundo, mas que entende a valia da palavra "sinceridade" e sua influência na felicidade alheia.

Eu não falo de amores modernos e de sentimentos quase imensuráveis, mas de um gostar descomplicado, sereno, confiante, leve e brando. Daqueles que se gosta pelo que se é, não pelo que se tem ou o que se faz. Daqueles erguidos e mantidos pela franqueza. Daqueles que seguram as pontas quando necessário e transformam os nós em laços.

Emoções são boas, loucuras também, mas, hoje, estendo meu direito de querer ser simples. Não quero muita coisa, não. Conforto no olhar e compreensão no sorriso já bastam. Só quero calmaria, trilhar um caminho fresco e sonhar enquanto passeamos nas veredas da vida.

Talvez eu tenha cansado de conhecer e desconhecer pessoas. Talvez eu tenha cansado de ter que ficar redescobrindo a confiança naqueles que me circulam. Hoje só quero paz, tranquilidade e risos sinceros. Na verdade, quero tudo sincero, é só disso que preciso. Você e sua sinceridade. O resto, a gente decide amanhã no café da manhã.

Como superar o fim de um relacionamento?

Primeiro, encare este fato: o passado nunca será apagado.

Casais vivem muitas coisas juntos, contam seus segredos e abrem o jogo sobre suas inseguranças. Desse modo, se passam dois, cinco ou até dez anos ao lado de alguém, conversando, convivendo, dividindo expectativas e sonhando. Até que, um belo dia, tudo simplesmente acaba. Acaba o interesse, o tesão e o amor de uma das partes. E agora? A outra parte faz o quê? Reaprende a viver. Bota seus planos estagnados em prática e se organiza para começar uma nova jornada sozinho. Em relação a isso, tem algo que posso te garantir: quando você parar de depender dos outros para fazer o que quer, se sentirá outra pessoa.

Outra coisa: se for para terminar, termine direito. Sem contatos, sem telefonemas, sem mensagens de saudade, sem nada. Para esquecer alguém, você precisa passar por um ciclo de saudade, raiva, ciúme, carinho, tristeza e afins. E sabe qual é o mais importante deles? A raiva. Confesso que parece meio estranho; no entanto, é ela que te faz crescer, dar a volta por cima e perceber que isso acontece com todo mundo e que você é só mais uma. Não falo da raiva negativa, mas daquela que te dá forças para enfrentar teus medos e transformá-los em coragem.

Você vai sofrer – como todo mundo –, mas isso passa. Sempre passa. Sabe, defendo a premissa de que é preciso sofrer tudo de uma vez, e não ficar se enganando ou achando que tem volta algo que, de fato, não tem. No começo será ruim, porém, um dia, você vai rir de tudo isso e lembrar como era bobinha. E, depois de um tempo, também vai perceber que o que passou foi necessário para, hoje, você ser mais forte, segura e, principalmente, madura.

Não espere por ninguém. Acredito que isso sirva para o âmbito geral, tanto no trabalho quanto na vida afetivo-amorosa. Faça a sua parte e dependa só de si mesma; afinal, se for depender dos outros, você poderá ficar na mão. Entendo que isso possa soar um pouco frio e calculista, mas sejamos realistas.

"Substituir". Essa é a palavra-chave. Depois de um tempo, você descobrirá que todo mundo é substituível. E, depois de mais um tempinho, você já conseguirá ver como foi bom ter terminado aquele relacionamento e ter se encontrado novamente. Na maioria das vezes, só conseguimos esquecer uma história escrevendo outra. Mas, claro, antes você deve curtir muito bem o que a vida pode te proporcionar.

Dizem que você só conhece mesmo a pessoa com quem estava ficando quando termina. Então, vou dizer que não existe coisa mais bonita do que terminar um relacionamento e dizer para os outros que foi ótimo enquanto durou. Ponto. Você não precisa dar detalhes da sua vida pessoal e falar sobre o que vocês viveram juntos. Aqueles momentos foram só de vocês dois e devem morrer ali, junto com a relação. Isso, para mim, é o suprassumo da educação, da maturidade e do respeito por quem esteve ao seu lado por todo um tempo. Afinal, histórias de amor necessitam de respeito e, sobretudo, zelo.

ÀS VEZES PRECISAMOS
TRILHAR O NOSSO
CAMINHO SOZINHOS,
PRINCIPALMENTE QUANDO
NEM NÓS SABEMOS PARA
ONDE QUEREMOS IR.

O CHARME DE UMA MULHER DE CABELO CURTO

As pessoas buscam uma identidade na sociedade; algo que as marque como únicas e especiais. Nesse mundo cheio de gente uniformizada pelos padrões midiáticos, a simplicidade, a autenticidade e a naturalidade são cada vez mais valorizadas.

Mulher de cabelo curto transmite a maior segurança que conheço no universo feminino. Ela não liga para a sua opinião, ela é segura de si. É como se fosse um *teaser* da sua personalidade – e, mesmo que ela não seja exatamente dessa maneira, é essa imagem que vende. E, assim, parece desprendida de todas as amarras que o mundo impõe – essa padronização, a necessidade de ser gostosa. É como se a mulher de cabelo curto tivesse um alvará para ser a mulher que ela quiser, quando quiser.

As pessoas compartilham, fazem e vestem o que querem dizer para os outros que são. E, nesse caso, ter estilo é ter comunhão entre nosso interior e exterior. Como disse a Anna Wintour, da *Vogue* americana: "O estilo pessoal tem a ver, em última instância, não com o amor pela própria imagem, mas com a consideração pelos outros, junto com uma autoconfiança saudável".

O cabelo curto valoriza o rosto, instiga, cria interesse – aliado a um olhar imponente, então, fico sem reação. Linda Evangelista, Natalie Portman, Inès de la Fressange, princesa Diana, Meg Ryan, Renata Vasconcellos – posso citar várias mulheres que marcaram esse mundo com seus cabelos curtos. Estamos falando de algo muito mais significativo e impactante do que beleza: trata-se de charme e elegância.

As mulheres vivem a síndrome de Sansão: a sua força, autoestima e, principalmente, seu poder de sedução estão no cabelo. É como se, sem esse poder, elas tivessem que achá-lo em outros atributos. Nuca, colo e outras curvas do corpo feminino são regiões que considero de extremo *sex appeal*, mas que nem sempre são enaltecidas.

E se, por algum segundo, você se perguntou "Mas o que vocês, homens, preferem?", posso afirmar que você não nasceu para ser uma mulher de cabelo curto. Não existe o melhor, existe a harmonia entre seu corpo e sua personalidade. A busca de tudo isso não é em função do que nós, homens, preferimos, e sim do seu bem-estar. Por isso, uma mulher que aceita deixar o seu cabelo curto determina não só um estilo, mas um estado de espírito. Esse tipo de mulher se resume em apenas uma palavra: autenticidade.

QUERO TE INVADIR

Eu quero te invadir e levar comigo o seu encanto inocente. Levá-lo para os meus devaneios, as minhas falas ensaiadas e mostrar como sou capaz de te apresentar aos prazeres da vida.

Mulher do caminhar meigo, dos passos cautelosos, da bolsa rente ao corpo, da simpatia estendida em pleno dia nublado, das inseguranças profundas, das dúvidas tão cheias de certezas... Me deixa te mostrar que o amor não voa, flutua. Ele plana entre o carinho, o respeito, a safadeza e o deleite de te mostrar que a vida é muito mais do que idas a um cinema e jantares com despedidas dignas de vidros embaçados em um carro estacionado numa rua deserta.

Quero te fazer se apaixonar. Não por mim, mas pelos conhecimentos empíricos que a vida está louca para nos apresentar. Vem comigo... Me deixa deixar-te com essa mudez gostosa; me deixa, sem interrupções, intumescer os nossos beijos instigados por um tesão ainda insondável e, assim, assegurar-te que os prazeres íntimos, aos poucos, enchem a nossa urna da felicidade branda.

Não prometo mundos e fundos. Prometo sorrisos intermináveis, todos eles sem explicações, gostosos do jeito que são. E, quando chegarmos ao fundo do poço das expectativas, sorrirei como o belo imbecil ocasional que sou, e te lembrarei que é melhor chegar ao fundo do que continuar caindo.

Como uma mulher pode demonstrar estar a fim?

Para começarmos o texto, considero de suma importância frisar que acho interessante mulheres que demonstram interesse – de maneira simpática e pouco escancarada, obviamente.

O primeiro passo é pararem de se preocupar com o que nós, homens, vamos pensar a respeito de vocês – até porque não pensamos nem metade das coisas que vocês imaginam que pensamos. Na verdade, nosso pensamento se limita a gostar e não gostar.

Também é muito importante preparar o terreno. Deixe pistas, mas nunca uma certeza. Se um cara chegar para conversar com você, dê continuidade ao assunto e retribua as perguntas, sempre sutilmente e sem deixar a peteca cair. O segredo é o contato visual, tanto para nós, homens, quanto para vocês, mulheres: com um olhar se pode dizer tudo. Enfim, seja delicada e agradável, o cara vai saber o que fazer.

"Tá, e se ele não souber?"

Existem dois motivos plausíveis para ele não ter percebido: ou ele não te achou atraente ou ele é desprovido de conhecimentos empíricos no quesito mulher. Então, sinto muito, caberá a você desdobrá-lo e descobrir até onde poderá ir ou não.

"Frederico, você ainda não entendeu que não quero parecer atirada?"

Você vai demonstrar interesse e não dançar na frente da porta do banheiro masculino esperando ele sair. Relaxa! Nossa, como essa palavra deveria ser inserida no dicionário de todas vocês: relaxar. Sabe quais são as mulheres que se dão bem nesse quesito? Aquelas que pouco se importam com o que os outros vão pensar e com os julgamentos que a sociedade fará. Você fazendo ou não o que quer, a sociedade vai te julgar de qualquer forma.

Já que entramos nesse mérito, vou abrir uma coisa a vocês. Sabe, nós, seres humanos, temos muitos preconceitos com tudo. Você vê um cara com uma mulher de saia curta na balada e pensa "Piriguete". Você vê alguém com óculos escuros no *shopping* e pensa "Idiota". E aí eu me pergunto: quem somos nós para julgar? E se essa mulher de saia curta estiver com o marido e ele gostar que ela se vista assim? Não é um direito deles? E se o cara de óculos escuros tiver esquecido os óculos de lente no carro? Ele vai ter que voltar lá para buscar só para você não achá-lo um "idiota"? É difícil aceitar, mas poucos conseguem mudar esse tipo de atitude – que, na maioria das vezes, é automática.

Bom, voltando à questão anterior, existem dois truques que quase sempre funcionam, mas não os encare como uma verdade absoluta, certo? Primeiro: é melhor você cortar o cara do que deixar ele te cortar. Digo, se você sente que está falando e ele não te corresponde nem retribui perguntas, antes que ele te diga "Ok, vou ter que sair, beijos", você chega e fala "Tudo bem, então, vou indo, até". Segundo: o "gelo" da saudade. Você fala com a pessoa um dia e faz um intervalo razoável de tempo até falar de novo. Esse meio-tempo nos faz pensar um pouco e também não demonstra afobação da sua parte.

Sinceramente, não é do meu feitio ditar regras de conquista. Acho que cada um tem o seu momento e o seu jeito, mas, de qualquer forma, essas são dicas gerais que, se usadas de modo natural, transmitem maior autoconfiança. Em geral, seja sutil: você pode muito bem demonstrar estar a fim sem deixar provas contra si mesma. Mantenha seu charme, mantenha sua postura e, acima de tudo, não entregue o ouro de bandeja, só dê pistas de onde ele poderá estar.

ORGULHO

Vivemos numa constante batalha para provar quem é o "mais forte" quando se trata de sentimentos: quem se entregar primeiro perde, essas são as regras, nenhum dos dois pode demonstrar se importar com o outro, se mandar mensagem perde ponto, se sumir ganha ponto, se disser que gosta perde ponto. Em meio a esse duelo, deixamos subentendido que gostamos um do outro, mas nunca vamos admitir isso.

Isso é o que eu chamo de suprassumo da inteligência. Ninguém quer ferir o próprio ego, e assim criamos uma linha imaginária de submissão totalmente desnecessária. Por que me sinto submisso por falar contigo antes de você vir falar comigo? Não dá pra ser recíproco?

O veneno desse sentimento vai se esparramando, e cada pequena desavença se torna o maior motivo do mundo para não responder uma mensagem, para deixar o telefone tocar seis vezes antes de atender dizendo que estava de "bobeira" e não assumir que sentia saudades nem por um milhão de reais em barras de ouro.

Nisso você deita na sua cama, fica rente à parede gelada para amenizar o calor, coloca a perna esticada para fora do cobertor e fica ensaiando alguns diálogos que nunca serão ditos. Inquieta e encarando o celular, você decide tentar remediar a situação, liga e fica ouvindo o telefone tocar com o coração na mão, enquanto cada toque não atendido só faz o arrependimento aumentar. Você se expõe e acaba sendo mais rejeitada do que um operador de *telemarketing*. E, só para manter a tradição, atrasamos mais uma vez o inevitável. Realmente somos geniais.

Às vezes o orgulho nos torna idiotas, mas às vezes ele nos faz não passar por idiotas. Sei quão geniosa você pode ser e como é difícil fazer um simples e sincero pedido de desculpa, mas tudo isso necessita de equilíbrio e bom senso. Ninguém quer sair rebaixado, e saber ceder é o segredo para um relacionamento emocionalmente estável. Se o teu orgulho for maior que o teu sentimento, realmente fica difícil dar certo.

O SILÊNCIO E O TESÃO

Hoje, parada à espreita de ir embora, eu te convencia a largar a maçaneta da porta e fechá-la somente com o peso dos nossos corpos. Escorregando em direção ao chão frio, a gente desnudava o corpo, a alma e, principalmente, a liberdade de nos usarmos sem dó. Palavras encharcadas de devassidão ditas ao som do suspiro mais próximo, quente, eloquente...

Havia em nós a urgência de nos comermos ali mesmo, sem reservas e receios de nos acabarmos. Como uma dupla éramos refeição e sobremesa, beijo e culpa, depravação e carinho. Mas o prédio inteiro não precisava ouvir o som do nosso canto íntimo. Cúmplices no mútuo desassossego de sermos pegos naquele momento, nos cozinhávamos em silêncio, segurando o ranger da porta e incitando a mudez dos gemidos com beijos prensados e contínuos. Naquele momento, o tesão tornava-se gostoso pelo risco consciente de sermos descobertos ali, ao chão, nos devorando, sem pressa.

Como resquícios de uma noite inesquecível, ficamos deitados, divagando sem fôlego, planejando uma próxima loucura. Tínhamos uma relação atípica, que não precisava de cama, nem de calma, somente de uma porta mal trancada.

Até quando os homens precisam curtir?

Antes de mais nada, acredito que todo homem tenha que passar pela fase da curtição. Não necessariamente conquistar todas e viver como se estivesse numa eterna folia de Carnaval, mas viver sozinho, conhecer novas pessoas e testar seu poder de sedução. Sei que de certo modo pode parecer estranho, mas o autoconhecimento é essencial para pegarmos segurança em nós mesmos e, futuramente, passarmos isso para um relacionamento.

Todo mundo sente necessidade de levantar o seu ego. Assim como a mulher gosta de ser elogiada ou paparicada, o homem também gosta de se sentir o cara por ter conquistado determinada mulher. Obviamente, isso varia de acordo com a idade, de pessoa para pessoa, e vai passando com o decorrer do tempo, mas acredito que essa fase seja necessária para qualquer um que tenha a plenitude como um objetivo de vida.

Precisamos conhecer os dois lados da moeda para, um dia, termos a certeza do que é melhor para nós. Quando digo que toda pessoa precisa aproveitar é, basicamente, para não acontecer de o sujeito ter 40 anos e querer sair por aí curtindo como se tivesse 20, ou pior, trair sua esposa de anos por não ter vivido aquilo que deveria ter sido vivido há tempos.

Não há como negar que ficar com uma mulher diferente e se sentir desejado é uma sensação indescritível. Também não vou negar que é simplesmente fantástico conhecer mulheres com gostos, perfumes, cores, vivências e aventuras distintas. Você conhece uma que fez balé e fala francês, outra que é jogadora de tênis e faz gastronomia, e assim por diante... Tudo isso é fantástico.

Existe uma linha tênue entre um cara que quer conquistar todas e não está nem aí para você e um cara que não quer se envolver momentaneamente, deixando claro que só pode te proporcionar uma simples aventura. Muitas de vocês, mulheres, devem entender que não é por não serem especiais que não as queremos, mas sim pelo simples fato de não estarmos no momento certo para nos envolver.

Elogios e palavras bonitas, qualquer idiota sabe dizer, mas depende de você conseguir decifrar o que ele realmente deseja. Em minha opinião, cada um tem o direito de fazer o que der na telha desde que arque com as consequências e não faça o outro de trouxa. Mas o que a maioria ainda não descobriu é que é totalmente possível curtir e fazer o que você quiser sendo sincero.

A BELEZA ABRE PORTAS,

MAS SÃO OS ATRIBUTOS
QUE ENTRAM.

CONHECENDO UMA MULHER POR TRÁS DAS CORTINAS

Assim como Martinho da Vila, eu, por incrível que pareça, também já tive mulheres. Todas conquistadas na incompreensão de sorrisos e safadezas. Confesso ter conhecido mulheres de vários países, etnias, desenvolturas e até graças. E, acredite, nunca vi uma que não goste de sorrir ou de ter orgasmos. Também nunca vi uma mulher que não goste de sentir-se possuída pelo envolvimento e, ainda mais, pelos sorrisos desferidos durante uma noite de final incerto.

Sim, mulheres desejam ser possuídas – mesmo que não admitam. E possuir uma mulher é muito mais do que levá-la ao êxtase de um orgasmo que vai além de todos os sentidos. É fazê-la sentir-se à vontade para alcançar esse frenesi sem receios, culpas, inseguranças e questionamentos retóricos. Fazê-la agir de forma inesperada, mas, ainda assim, feliz, confortável e envolvida. Esse é o ponto-chave de todo enredo. Mulheres precisam ser descobertas e compreendidas, e essa sensação de compreensão se passa com olhares e mãos firmes.

Falando em mãos, mulheres gostam de mãos. Use-as. Saiba onde e como tocar o corpo de uma mulher, que é muito mais do que virilha, bunda e peitos. Se delicie com a nuca e com as coxas, deslize entre o ouvido e a boca, beije todas as partes que te forem convenientes – até porque beijar somente a boca seria um desperdício erógeno. Basta deixar as nossas experiências de vida apimentarem ou destemperarem os nossos gostos. Com os momentos que já me foram ofertados, aprendi que as mulheres guardam vestígios de ouro em suas entrelinhas curvilíneas e que saber lê-las é o que diferencia os homens.

Por causa de uma sociedade ainda pouco adaptada à abordagem astuciosa e direta das mulheres – o que considero uma pena –, elas nos deixam pistas sutis. Cabe aos espertos captar o verdadeiro sentido das pequenas mexidas no cabelo e sorrisos de canto de boca e, assim, transformá-los num fim de noite em uma praia deserta, onde só existirão sorrisos e orgasmos.

Mulheres querem homens com histórias e peculiaridades, não com carros e roupas de marca rotulando seus corpos. Qualquer mulher pode ser conquistada por um papo bem conduzido, cheio de agrados, gargalhadas e charme. Mulheres querem caras com pegada na cama, mas, principalmente, na vida. Um homem de amplos horizontes e de ação perante o mundo.

Acredite, ela gosta quando você a prensa na parede, pega-a com firmeza e esquece o carinho. Nesse caso, o carinho não está no jeito com que você a pega de quatro, e sim no enredo da noite. Pode-se muito bem transar com uma mulher, fazer todas as orgias e técnicas de *bondage* existentes, mas, pelo embrulho da noite, mostrar que você é um homem que sabe separar as coisas e eternizar os momentos de modo apropriado. Como também se pode optar pelo pálido papai-mamãe e deixar nela a sensação de que você é frouxo, sem atitude e falador. O respeito e o carinho não precisam estar necessariamente presentes no ato sexual, mas no desenrolar da noite; assim como o segredo da pegada não está na força, mas no vigor em que ela se concentra.

Não estou aqui traçando um padrão de coisas de que as mulheres gostam ou não. Só estou dizendo que, com o tempo, aprendi a importância de saber desferir belos tapas e puxões de cabelo, como, também, de beijar o pescoço e ceder um pouco de mim ao assistir a uma comédia romântica acompanhada de brigadeiro de colher.

NOS ENTENDEMOS ASSIM

Só consigo pensar besteira. Ver um filme contigo até o fim, então, impossível. São as minhas besteiras, minhas sacanagens, às vezes gentis, às vezes selvagens, mas todas sempre com o mesmo objetivo: respirações ofegantes e guerra de travesseiros pós-sexo.

A troca é simples. Eu te faço se sentir mais mulher do que nunca, e você me mostra que estou conseguindo fazer isso (ou que, pelo menos, estou no caminho certo). Talvez eu não corresponda às suas expectativas nem você às minhas, mas que tal deixarmos essa coisa de expectativa para depois, junto com as toalhas molhadas na cama e a gilete rosa no canto do chuveiro?

Você me conhece, sou meio pentelho, eu sei... mas qual seria a graça se, depois de uma noite de sexo, você me perguntasse se gostei e eu respondesse que sim? Não seria eu. Então te olho com a minha cara mais sacana e respondo: já tive melhores.

Você ri e fala para eu deixar de ser idiota. Pronto, a partir desse momento você correspondeu às minhas expectativas.

E assim, cada vez mais, vamos progredindo nessa relação movida a atrevimento, encharcada de carinho e mantida pela nossa, e somente nossa, forma de nos entender.

Traição: vale a pena?

Quando você está com uma pessoa e se compromete com ela, sua dignidade está em jogo e o seu caráter também. Se isso não vale de nada, não sei mais o que pode valer.

No começo é tudo tão gostoso, com muita paixão, sexo em lugares inusitados, descobertas, pensamentos voltados para o futuro e carinho. Mas, infelizmente, o tempo passa, a paixão acaba, e a vida te oferece três caminhos: continuar o relacionamento transformando essa paixão em amor e aceitando a rotina juntos; terminar, pois o tesão passou e você não gosta dela o suficiente para pensar em casamento e afins; trair e continuar na comodidade por medo de não conseguir ficar sozinho e, assim, fazer duas ou até três pessoas sofrerem por uma atitude fraca da sua parte.

Sim, acredito ser totalmente possível gostar de uma pessoa e, ao mesmo tempo, desejar ficar com outras – mesmo porque o desejo não pede permissão para surgir –, mas, dentro de tudo isso, existe uma linha tênue entre ter vontade e realmente fazer. Uma linha que envolve o seu caráter, respeito e admiração por quem está ao seu lado e que dedicou tanto tempo e carinho a você. Afirmo também que o maior erro que alguém pode cometer é pensar "Ninguém vai descobrir, só preciso pegar um gás para o relacionamento". É assim que tudo começa. Você acha que não é nada, mas pronto, você fez o mais difícil, começou, e agora continuar é muito fácil.

A traição não deixa de ser um ato inconsciente de quem quer sair de uma relação sem saber como, ou de quem tem medo de perder algo. Também inconscientemente, você acaba procurando em outras pessoas características que a sua parceira não tem, tentando preencher um certo vazio. Todo relacionamento já vem com o pacote pronto, e, infelizmente, não se pode pegar uma qualidade daqui, um sexo selvagem dali e assim por diante. Então, não prometa o que você não pode cumprir. Seja sincero, deixe claro o que você pretende. É tão fácil dizer o que você quer! Não engana ninguém, não se engana, não sufoca sua consciência e, o mais importante, não faz quem gosta de você sofrer.

Na minha sincera opinião, são raros os casos em que é possível voltar depois de trair ou ser traído. Por mais que, em algumas situações, a traição seja encarada como algo perdoável, nunca mais será possível confiar naquela pessoa como antes, e isso ficará te corroendo toda vez que desconfiar de algo, por menor que seja a razão.

Se você não está feliz, como fará o outro feliz? Termine, siga sua vida e encontre alguém que te complete do jeito que você tanto deseja. O mundo precisa de pessoas mais decididas, seguras e confiantes; pessoas que não precisam umas das outras para preencher seu próprio vazio; pessoas que estejam contigo por inteiro.

Existem vários tipos de traição, mas nenhuma se justifica. Erros acontecem, fato, mas seja franco consigo e assuma seus erros. Seja gente grande o suficiente para ouvir o que precisa ser dito e, antes de qualquer coisa, lembre-se: não há bônus sem ônus.

O SEGREDO DO PUXÃO DE CABELO

Mescla única de agressividade e carinho. Firmeza e distância certas. Brandura e destreza. Um belo puxão de cabelo é complemento de um sexo que pede mais do que um corpo sobre outro e gemidos contidos. O sexo é como um tubo de ensaio: se aprimora com testes. As confidências e os segredos se guardam, e o que se aproveita são as experiências.

Que hasteie a primeira calcinha a mulher que não gosta de se sentir dominada. O segredo é entender que o carinho não precisa estar presente nos movimentos de uma transa inexplicável, mas sim na postura assumida para conduzi-la. Alguém que se encharca de receios e medos de sentir prazer não merece deslindar o real deleite do sexo.

Qual a graça do sexo se eu não disser de modo imperativo, bem pertinho do teu ouvido, que vou acabar contigo? Deixe-se levar, envolva-se, jogue a compostura para debaixo da cama e, junto com ela, todos os desassossegos. Isso é sexo, o resto é só o que os outros dizem ser sexo.

AQUELE SEXO DE RECONCILIAÇÃO

Você discute comigo, e, só de raiva, fico te olhando com aquela minha cara de paisagem. Angustiada pela minha falta de reação, você tenta retrucar: "Não me olha co...", mas, antes de terminar a frase, eu já te beijei.

Não gosto de relacionamentos sem divergências, sem discussões, sem brigas seguidas de sexo. Daquele jeito, em que você deixa suas pernas entrelaçadas na minha cintura e eu te coloco contra a parede, lembra? Confesso que nunca fui o mais forte, mas não me sentiria homem o suficiente se não conseguisse, no mínimo, te carregar no colo.

Você faz o melhor lanche pós-sexo, e que eficácia em preparar um nescau acompanhado daquele misto-quente! E eu ainda preciso te pedir ajuda para cortar o queijo derretido e esticado enquanto como igual criança...

Depois vamos dormir, você com aquele pijaminha de algodão – e olha que, antes de dormir, eu te falei que provocar não era uma opção –, e eu aqui, pensando numa nova discussão para amanhã, sem repetir a parede de hoje. Você era gostosa e safada, mas disso só eu precisava saber.

Ciúme: amor ou insegurança?

Antes de tudo, pergunte-se: qual o real motivo de ter ciúme? Se você namora, penso que deve confiar plenamente nessa pessoa, correto? E ela está ao seu lado pelo simples motivo de querer estar com você, correto? Quando alguém trai, é pela razão de se sentir incompleto em algum aspecto dentro do relacionamento, então entenda que só depende de vocês, como casal, fazer com que certas vontades não despertem. Vocês precisam estar em plena harmonia na hora do sexo, na hora de conversar e, principalmente, na hora de ceder às vontades um do outro.

Nós, homens, nunca vamos deixar de admirar o corpo de outras mulheres, muito menos deixar de falar besteiras com nossos amigos, pois isso faz parte da essência masculina e necessitamos disso para completar alguns vazios que o namoro provoca. Se você parte do princípio de que ligar de cinco em cinco minutos ou não deixar o parceiro falar com o sexo oposto é a melhor postura a se tomar, sinto muito em dizer, mas viver contigo é como viver em uma prisão. E, sinceramente, só queremos ao nosso lado alguém que possa confiar plenamente em nós.

Acredito sim que o ciúme seja um tempero em um relacionamento, mas tempero demais desanda o prato. A partir do momento em que seu parceiro não demonstra esse tal ciúme em excesso, você acaba adquirindo maior respeito e sabe que aquela pessoa está ao seu lado porque você transmite segurança e confiança a ela.

Homem ciumento não tem muito futuro em uma relação; afinal, mulheres gostam de caras confiantes e seguros. Então, se nem ele confia em si mesmo, como pode esperar que você confie? Todo mundo precisa ter seu espaço e uma vida fora do relacionamento. Assim, penso que o ciúme só demonstra a falta de autocontrole e ainda traz mais segurança e certeza sobre o que realmente a outra pessoa sente por nós.

De forma alguma estou dizendo para você dar "sorte ao azar". É sempre bom manter o controle, mas controlar é diferente de sufocar. Acredito também que, em um relacionamento, os dois tenham total consciência e discernimento do que se "pode" ou não fazer, e esse equilíbrio constrói uma estrutura rígida e consistente em torno da relação. Há quem diga que ciúme é prova de amor. Discordo. Mas cada um gosta do seu jeito, não é?

Já dizia Roland Barthes: "Como ciumento sofro quatro vezes: porque sou ciumento, porque me reprovo de sê-lo, porque temo que meu ciúme machuque o outro, porque me deixo dominar por uma banalidade: sofro por ser excluído, por ser agressivo, por ser louco e por ser comum".

E QUANDO A GENTE
SE DESCOBRE PERCEBE
QUANTO TEMPO PERDEMOS
TENTANDO DESCOBRIR
OS OUTROS.

SINTO FALTA DE...

Sinto falta de uma mulher que saiba apreciar a essência da Audrey Hepburn, que saiba extrair um pouco dessa essência e que, assim, saiba decifrar a sutileza de "Moon River" em uma das cenas mais clássicas do cinema.

Sinto falta de uma mulher que conheça a diferença entre Warhol e Lichtenstein e entenda que, quando o Djavan diz "Mas você adora um se...", ele quer dizer tudo, menos "se".

Sinto falta de uma mulher que troque assistir a um *show* sertanejo por ouvir Nat King Cole, e que queira aprender junto de mim a diferença entre champanhe, *prosecco* e espumante.

Sinto falta de uma mulher que tenha vontade de se aventurar comigo ao fazer um arroz à *piemontese* e, ao errarmos a dose de creme de leite, olhe para mim e diga numa risada gostosa "Até que ficou bom".

Em meio a esse *pot-pourri* de sensações, observo todos os detalhes de uma mulher, e o que mais me fascina são a elegância e a sutileza de se portar em diferentes lugares. Gosto de observar as reações em cada situação, as expressões e, principalmente, a delicadeza dos sorrisos – coisas que julgo raras hoje em dia.

Mulheres das safras de balada também já fizeram parte de uma fase necessária da vida, mas dificilmente serão elas a sentar comigo diante de uma paisagem com a cara do Monet e negociar com jeitinho o nome do nosso próximo golden retriever.

Não há nada mais charmoso do que ter ao seu lado uma mulher que você admira. Simplesmente *hors-concours*. Longe de mim querer que ela saiba tudo isso, mas deve sim ter aquela vontade de aprender e vivenciar ao meu lado coisas que a vida ainda anseia por nos ensinar.

RABISCANDO A PAREDE COM A NOSSA HISTÓRIA

Em casa, éramos só nós. Casa vazia e almas preenchidas. Brincávamos de nos beijar e rolar de cômodo em cômodo. As estantes e prateleiras nos olhavam com inveja daquela troca de saliva e suor. O chão acolhia nossos pés, e as paredes abraçavam o nosso amor repentino e imoral.

Entre os beijos, eu riscava teu corpo com meus dedos, carimbava tuas coxas com minhas mãos e desenhava futuros em pensamentos pervertidos. Eu poderia te possuir ali mesmo, não me incomodavam os móveis ciumentos nem os vizinhos pasmos ao ouvir teu gemido depravado. Eu só queria mesmo ser feliz e dividir contigo essa felicidade rabiscada na parede gelada e branca.

Sentada no meu colo, você transava e trançava os pés pela minha cintura e deixava-se levar pelo embalo do tesão mais extasiante que eu poderia te proporcionar. Sem medos nem frescuras, você adorava quando eu colocava o dedo na tua boca e te fazia olhar com o semblante safado. Gostava de tanta coisa que somente eu sabia. Eu e aquela casa, toda marcada pelos nossos corpos de virtudes inóspitas e roupas omissas.

Éramos como uma caneta na folha de papel – rabiscávamos orgasmos, desenhávamos sorrisos e escrevíamos histórias.

"Eu te amo" não diz tudo

Muitas pessoas são completamente iludidas e até mesmo preenchidas por essas três palavras mágicas. Enquanto o cara não proferir o sagrado "Eu te amo", você se afunda em dúvidas: "Será que ele realmente gosta de mim?".

Na minha singela opinião, o amor só se torna amor quando o outro tem real interesse na sua vida, quer ver sua felicidade acima de tudo, te encoraja a enfrentar seus medos, te escuta mesmo não querendo escutar, te entende mesmo não querendo entender e, acima de tudo, te respeita. O amor é uma miscelânea de desejos, vontades, sentimentos e conquistas, e, para que tudo isso se concretize, precisamos de tempo, ouviu bem? Tempo.

"Lá vem você com essa de tempo. Conheço ele há pouco tempo, mas já o amo sim e faria tudo por ele, ok?"

Sinceramente, quem sou eu para mensurar o que as pessoas de fato sentem? Mas sim, o amor necessita de certo tempo de convivência, conquistas e derrotas. Hoje em dia, na maioria das vezes, falar "eu te amo" não passa de uma abreviação de "Ei, estou 'gostandinho' de você". Acho engraçado que, nesses casos, em qualquer discussão ou divergência de opinião, o amor acaba e se transforma em ódio, desinteresse ou revolta. Talvez eu tenha um pensamento um pouco retrógrado, mas ainda acredito que amor é quando você pensa duas vezes antes de transformar mágoa em munição.

Até parece fácil... É só falar que te amo e já estamos no ápice dos sentimentos, eu não vivo sem você, você não vive sem mim, tudo é para sempre... Pode até ser pouco palpável, mas, no fundo – e no fim das contas –, tudo isso só faz com que você banalize a tal definição de amor e pense que qualquer tesão, paixão, desejo ou saudade seja um sinal de sua existência. E, convenhamos, você sabe que não é assim. Sabe melhor do que ninguém que essas coisas passam, que você conhece outras pessoas e, depois de tudo, vê que o tal "amor" nem era tão "amor" assim. Depois disso, você cresce, cria expectativas à toa, confunde alguns sentimentos, acha que nunca mais vai amar ninguém, amadurece, percebe que o amor não mata e descobre que existem vários tipos de amor. Aí você também lembra que todo mundo passa por isso e que é só mais um caso.

Talvez você nem saiba o que é o amor. Talvez o amor seja uma palavra que cada um define como bem entende e sente com a intensidade que consegue; ou talvez o amor seja tudo isso e mais um pouco, que ainda não aprendi. Só sei que para o amor não existe indecisão, e sim só uma certeza. Se você já amou como diz, deve saber do que eu estou falando.

ELA NÃO VOLTA

Você quer que ela volte, mas ela não voltará. Você cria esperanças, expectativas e sonhos sobre como seria se ela estivesse ali de novo, forte, ininterrupta e constante.

O carinho pode continuar, o tesão pode continuar, a vontade de continuar pode continuar, mas, sem ela, definitivamente, fica difícil de continuar. Com ela se vão o orgulho, o brio, a admiração e todos os ingredientes de um relacionamento que a sociedade define como "estável".

A partir de agora, cada atitude será olhada de forma contestável, cada discussão será uma retomada dos mesmos argumentos, e, aos poucos, a paciência de cada um vai se esvaindo ao se defender sempre a mesma tese.

O tempo não volta, ela não volta, a gente não volta. E, mesmo que a gente volte, a gente não volta. Assim ela se vai, como o brilho do sol em dia de chuva. E a saudade fica... Não de você, e sim dela: a recíproca confiança que tínhamos.

À MINHA MANEIRA

Essa noite eu deixei a minha melhor barba pra você, daquelas com ameaça de apocalipse sexual. Eu poderia ser enigmático, me limitar a te despir só com os olhos, mas não.

Hoje eu quero te despir de cima a baixo com as mãos. Com vontade. Com beijos arrastados pela nuca, daqueles que arrepiam e estimulam o desejo de pular toda essa primeira etapa. Sussurrar-te sacanagens ao pé do ouvido, proporcionando aquela sensação que faz teu pescoço pender para o lado oposto. Lado que a minha mão segura com firmeza e acomoda seu cabelo por trás da orelha.

Te pego de jeito, assumo meus afetos, espanto tuas inseguranças e nos desprotejo das possíveis expectativas. A gente se amassa ali mesmo, na cama, enquanto os lados se alternam entre momentos de fraquezas e arrepios. As mãos se afagam, apertam, examinam, apalpam e se moldam ao decorrer dos nossos mais selvagens e instintivos impulsos.

Nos perdemos naquele redemoinho de lençóis, roupas, indecências... E a brincadeira começa a ficar divertida quando você percebe que está fazendo tudo o que, um dia, prometeu a si mesma que nunca faria. Hesitações aliadas ao tesão mais soberano, aquele "assim não" seguido do mais promíscuo "não para". Então, sem saber como fomos parar ali, te prenso no chão, coloco tuas pernas sobre os meus ombros e te faço lembrar que só escrevi este texto para te deixar na vontade. Gostosa.

Namorar ou curtir? Eis a questão!

Essa é uma dúvida clássica que acaba surgindo na cabeça de várias pessoas, e, de algum modo, temos que lidar com isso. Infelizmente, somos totalmente influenciados pela mídia, pelos nossos amigos e por todas as maneiras que o mundo encontra de dizer "Você poderia estar curtindo muito por aí, sabia?". Com base nisso, existem três maneiras de se resolver o dilema: terminar, trair ou continuar e tentar ver a vida de outro jeito.

Primeira opção. Você vai lá e termina um relacionamento estável para curtir, mas, no fundo, nem você sabe o que realmente significa "curtir". A vida passa encilhada, e você começa a perceber que curtir é algo muito amplo e que existem muitas coisas pequenas que podem te trazer as mesmas sensações. Você compreende que confiança e cumplicidade são impagáveis, que sentimentos vêm e vão, que orgulho e admiração são as melhores coisas que se pode sentir por alguém e que cozinhar sozinho não tem graça.

Segunda opção. Você está cansado de tudo, mas não tem coragem de terminar por comodidade, insegurança ou medo de perder aquilo que, supostamente, conquistou. Aí, surge uma pessoa sensacional – a olhos nus – que te dá o maior mole e você pensa "Só uma vez e ninguém vai descobrir", "Uma vez não é bem traição, né?". Começa desse jeito, você acha que não é nada e nem faz por mal (se é que se pode falar assim); só quer matar a vontade e relembrar os velhos tempos. Mas, quando menos espera... Pronto, virou rotina. Você acaba de se tornar uma pessoa de verdades questionáveis e, pior, com uma dúvida muito maior do que a de antes: com quem ficar? Segurança, comodidade e carinho ou risadas, saídas e sexo casual?

Terceira opção. Você pensa que o relacionamento ainda tem salvação, se esforça de verdade, abre o jogo e, mesmo assim, não vê mudanças. Você sempre dá mais uma chance, mas, no fundo, sabe que não vai dar certo enquanto um dos dois não ceder. As coisas não são como antes, e, por mais que digam, você sabe que inovar não vai adiantar. Os beijos não são mais tão bons, as noites em casa se tornam repetitivas, vocês começam a se irritar por pouca coisa, e, no final de tudo, você pensa "É isso, então, acabou?". Não, você dá mais uma chance e tenta começar tudo de novo.

Independentemente da opção que você escolher, procure ser uma pessoa madura, mantenha a postura e convicção do que fazer, tenha respeito pelo outro e, o mais importante de tudo, não faça ninguém de palhaço por algum devaneio seu.

DEIXE QUE A SUA VONTADE DE VIVER TE LEVE DE OMBROS LEVES E PÉS FIRMES.

Mulheres e suas inseguranças com o corpo

Chega a ser engraçado – e interessante – observar mulheres e suas inseguranças com o corpo. Durante o sexo, você percebe que, entre beijos e afagos quentes, ela encolhe a barriga mais do que deveria. E também que, após todo o alvoroço de uma noite repleta de calcinhas e cuecas no ventilador de teto, ela sai da cama em ritmo de trote para o banheiro, com as mãos tampando os seios e as nádegas, como quem diz que não posso olhar mais nada, mesmo eu já tendo olhado tudo. Bem de perto.

Às vezes, fico me imaginando preso numa cadeira de tortura com uma mulher me perguntando, entre berros e choques "Você olha para a barriga da mulher durante o sexo?!"; e eu, seguro de mim, digo em voz alta "Não!"; e ela continuaria me torturando assim até eu falar a verdade. Verdade que nem existe. De fato, quase nenhum homem – eu diria nenhum, mas sempre tem algum meticuloso – olha para a barriga da mulher durante o sexo. Existem outras coisas melhores para serem degustadas e vistoriadas num corpo de tantas curvas e perfumes.

Raciocine comigo: se fosse para ter inseguranças, os homens deveriam ser reis nesse quesito. Precisamos manter o negócio em pé durante as horas que forem necessárias; não podemos chegar ao orgasmo muito rápido nem muito devagar; o tamanho do nosso membro tem que ser de qualificação satisfatória para mulheres de todas as crenças e credos; é necessário ter uma desenvoltura digna de um contorcionista premiado; e, depois de toda essa avaliação, ainda estamos dispostos a sofrer e virar motivo de chacota entre todas as amigas. Poderíamos ser muito inseguros diante de tantas expectativas esperando para serem cumpridas, mas nosso raciocínio lógico grita mais alto ao dizer que não adianta se preocupar com coisas que não estão ao nosso alcance mudar.

Confesso que eu te devoraria mesmo com as tuas imperfeições. Muitas mulheres confundem seus pequenos defeitos com relaxos, mas eu garanto que ninguém de consciência pura e bom senso em dia deixaria de ter uma relação com uma mulher porque a barriga dela tem certas dobrinhas – supercharmosas, aliás –, porque o "tchauzinho" dela faz mais movimentos de vaivém do que deveria ou porque os peitos dela não são mais durinhos como antes. O que é importante, a meu ver, é uma pessoa que se preocupa com seu corpo e seu bem-estar de maneira sadia e sem neuras, de forma que nutra sua confiança interior.

Então, se em algum dia dessa minha tão inédita e gostosa vida me olhassem nos olhos e, com uma única possibilidade de resposta, perguntassem qual seria a dica que eu daria a todas as mulheres que habitam este planeta, eu diria: seja mais leve. Deixe de besteira e faça a sua tatuagem na costela sem esperar o peso ideal. Compre roupas que façam você se sentir bem. Acenda a luz durante o sexo e olhe nos meus olhos, sem medo da direção que meus olhares vão seguir. E deixe todo o resto debaixo da cama, junto com as peças de roupas e as neuras.

A CULPA DE SE APAIXONAR AO PRIMEIRO SORRISO

Se, por acaso, conhecemos alguém em uma das esquinas da vida e, em questão de dias – ou, quem sabe, horas, minutos... –, sentimos vontade de ir morar com essa pessoa nas ilhas Maldivas, bate aquela culpa. Simplesmente porque nos fizeram acreditar que demonstrar, num piscar de olhos, interesse por alguém nos faz perder o nosso tão estimado valor. Convenções bestas que padronizam o nosso jeito particular de ser.

Não devemos nos martirizar por deixar que as marés de paixões que passam por nossa vida nos levem. É tão lindo ver sentimentos brotando em cidades tão abandonadas. Deixe que te achem louco e que te julguem imaturo, iludido ou precipitado. Lidar com as nossas emoções repentinas é problema unicamente nosso, e nada como um pouco de inteligência emocional e vontade de viver para transformar essas pequenas loucuras em felicidade na sua essência.

Eu, por exemplo, gosto de mulheres que chupam me olhando, comem com vontade e riem sem dó. Sem dó dos meus julgamentos e das pessoas que estão por perto; que se deslumbram com emoções inusitadas e que, no auge das dúvidas, desejam beijos fortes e salivados. E, quando encontro uma dessas por aí, vagando entre bares e mares, deixo meu orgulho de lado, sento sorrindo e tento convencê-la de que, ali, existe um cara de roupa limpa e mente suja. Eu poderia mesmo ser um leviano ou iludido por sentenciar-me apaixonado ao primeiro sorriso, mas não consigo ver graça numa vida em que eu teria que limitar meus ímpetos emocionais. Banalizar o cotidiano das nossas emoções é o maior crime que podemos cometer conosco.

No cume dos meus sentimentos pelas pessoas e pela vida, espero que a gente não se prenda a essas filosofias a que a sociedade nos compele, pois eu quero continuar me encantando com todas as mulheres que passam com olhares esvoaçantes e sorrisos longos. Então, almejo sempre conhecer pessoas que não têm medo de sentir o que, no fundo, sentem.

UM PASSADO SORRIDENTE

És linda com esse sorriso bobo. Não precisa me beijar de novo nem sorrir para mim de volta, sorria para você e com você. Me esqueça, mas não deixe de sorrir, mesmo sendo eu o seu passado.

Fiz parte da sua vida, conheci suas inseguranças e sua família, seus olhares e suas manias, seus beijos e seus tapas. Mas, hoje, sou um passado sorridente, do tipo que aceita a vida e seus desfechos e aprecia a sabedoria de um término inteligente. Afinal, a gente segue em frente, com alegrias incutidas nas lembranças e nas curiosidades que matamos juntos.

Não sinta saudade de mim. Sou passageiro, um viajante volátil... Sinta saudade dos risos que te proporcionei e anseie por aqueles que a vida ainda vai te proporcionar. Eles sim são eternos, não eu.

Quero te ver sempre feliz, pois acredite: não importa onde, eu também estarei. Então, me esqueça sorrindo. Isso é o que posso te desejar de melhor.

Homem tem medo de mulher segura

Volta e meia escuto alguma mulher dizendo algo do gênero "Homem não aguenta mulher segura". E, ao ouvir isso, um único pensamento permeia minha cabeça: que dó desse cara.

Esse é o típico comentário de uma mulher sem autoconfiança, que sofreu por algum homem e, por causa desse trauma único, generaliza. Esse tipo de mulher, na maioria das vezes, vive em um mundinho onde ela é a rainha das certezas e o homem que estava ao seu lado foi um fraco, imaturo, que não conseguiu dar conta de uma mulher "de verdade". Assim, ela vive em plena blindagem de mulher segura e independente, mas já tomou mais de quatro pés na bunda. Será que ela realmente só teve o azar de encontrar homens imaturos?

Para deixar claro, um homem não se esquiva de uma mulher porque ela é confiante, mas sim porque ninguém suporta uma pessoa intragável, cheia de manias pedantes e verdades absolutas estampadas na testa. A lógica masculina é simplista: a partir do momento em que ficar sozinho se torna mais prazeroso do que insistir em discussões incessantes sobre assuntos e detalhes sórdidos, caímos fora.

Diga-me, usando o máximo do seu bom senso: você conhece algum homem maduro, inteligente e bem resolvido que grite aos quatro cantos que as mulheres são todas iguais? Nós, homens, poderíamos muito bem hastear bandeiras e generalizar as mulheres, gritar que só querem dinheiro e todo esse papo típico de pessoas com poucas vivências e vários traumas. Acontece que indivíduos que precisam proclamar ao mundo todo como são seguros só demonstram sua própria insegurança.

O grande problema é que grande parte das mulheres que se dizem seguras são bastante fechadas e não dão abertura ao carinho masculino. Para se defenderem de novas experiências traumáticas, elas se forçam a ser assim e fecham-se diante de um afago, tão necessário para um relacionamento saudável. Todo homem gosta de se sentir reconhecido e ter seu brio valorizado. Para nós, é de suma importância essa sensação de ser o homem da casa. Sem machismo ou patriarcalismo, somente aquela sensação de firmeza, conforto e carinho de que um homem gosta de prover a sua família. Isso é natural, biológico: gostamos de ser protetores e provedores.

As pessoas precisam aprender a trabalhar essas concessões. Homens precisam das mulheres, assim como as mulheres precisam dos homens, e fugir disso é fugir da realidade da vida. Tenha autoconfiança, mas dê a si mesma a liberdade de se sentir insegura de vez em quando, e admita isso sem receios. Essas coisas fazem parte do charme de uma pessoa de grandes vivências, então sinta-se leve e esqueça essas filosofias rasas de vida que padronizam pessoas tão singulares.

A HORA DE FICAR SÓ

Enxergo-me só e, talvez, eu precise ficar assim. Encontrar-me para, quem sabe um dia, encontrar alguém. Alguém que, em louca consciência, me aceitará por completo.

Preciso explorar a minha vida para, depois, dividi-la com alguém. Preciso planar nos conhecimentos de mundo e me perder em sonhos pouco palpáveis. Traçar horizontes e abraçar o sol do meio-dia. Esbarrar em mim todos os dias e refletir sobre a minha sina. Conquistar a praça e o grupo de senhores lá sentados. Subir cumes de sentimentos e montanhas em vários países distintos. Apaixonar-me por pessoas de todos os tons.

Claro que, nas inesperadas vicissitudes da vida, eu posso sentir falta de ter alguém, mas preciso aprender a domar as minhas carências cotidianas e reconhecer essa fase como necessária. Fase que me valoriza e enaltece meu brio para um futuro mais notável e seguro. Adoro me conhecer, me descobrir e, por consequência, descobrir o mundo. Ele, que me oferece muito mais do que trabalhos rotineiros, beijos repetidos e conversas triviais nos mesmos lugares de sempre.

Nesse meio-tempo, não quero esquecer ninguém – mesmo porque não tenho problema de memória –, só quero levar lembranças empacotadas e recheadas para os meus momentos banzos. E que eu sinta saudade, mas também me sinta livre para criar novas saudades sempre que possível.

Não nasci para devaneios pequenos e, no ápice desse meu tesão pela vida, confesso não trocar nenhuma segurança passageira pela minha satisfação de ter vivido tudo o que tivesse direito de viver. E, talvez, este seja o meu maior medo: terminar uma vida sem terminar de sonhar.

QUER BRINCAR DE LUTINHA?

Hoje poderíamos brincar de lutinha, eu por cima prendendo os teus braços, e você por baixo tentando escapar. Seu corpo agitado e impaciente pela determinação de não perder para mim, fraquejando com o efeito de alguns beijos vagarosos que pairam sobre uma linha tênue entre carinho e força.

Você sabe que a sua única chance de sair é tentar me morder, mas eu nunca disse que não gostava. Talvez esse seja o charme da única brincadeira que denominamos "nossa brincadeira".

Após a sua derrota, te ajudo a levantar e espero como um bobo a visão mais linda do dia: você sentada com perninha de índio na minha cama, com os braços levantados colocando aqueles fios de cabelo por trás da orelha, pronta para amarrar o cabelo e assim, com a cabeça baixa, me pedir um copo d'água.

Vou e volto com toda a astúcia de quem acabou de vencer uma luta mortal, em alta velocidade, derrapando entre as curvas da casa, com um sorriso no rosto e pensando qual sacanagem vou pedir em troca daquele copo d'água.

A GRAÇA DA VIDA

ENTRE BOM SENSO E

ENCONTRA-SE NA MESCLA
BOM HUMOR.

BEIJO DE SINALEIRA

Relembra comigo aquele dia em que te peguei num beijo forte, melado, trocador de rédeas antes de a sinaleira abrir. Beijo que fica, sinaleira que abre, tesão que vem, tempo que vai. Não existe prenúncio de sexo melhor que esse, você toda molhadinha no carro, na expectativa de chegarmos em casa e eu acabar contigo. Entre etapas a gente diluía o nosso tesão. Uma sinaleira aqui, uma garagem ali, um elevador acolá...

Dentro do carro eu te fazia sorrir só com as mãos, imaginando suas pernas trançadas na minha cintura, cabelo no rosto, te colocando contra a parede... Tudo fazia parte da cerimônia. Um beijo brincado, devagar, movimentos conscientes, mão atrás da nuca, barba roçando no seu rosto...

Hoje quero sexo com saliva. Daqueles sem nojo, sem dó. Que pede dizeres descarados bem pertinho do ouvido. Seu ponto fraco sempre foi o ouvido, já eu sempre fui bom com a boca. Beijos acompanhados de mais beijos, acompanhados de outros beijos que assim formam um caminho do seu pescoço até a boca. Caminho necessário para eu me perguntar: para que beijar só a boca se eu tenho o corpo todinho?

Depois de curtir o que só uma aventura pode te proporcionar, espero seu sorriso ofegante com aquela carinha de quem viveu algo que não vivia faz tempo, me dizendo: de novo. Entusiasmado, brinco com o "talvez", deixando claro que a minha intenção é puramente te dar um beijo em que eu consiga não deixar seus pensamentos voarem para outro lugar. Um voo que talvez fosse necessário para levar esse "talvez" para bem longe e trazer a certeza que qualquer beijo gostoso pede. E isso não muda o nosso universo paralelo, só enaltece o nosso desejo mútuo.

Te quero cravejada de tesão na minha cama. No meu chão. No meu colo. Hoje eu te obrigo a sentir prazer. A rebolar e me olhar como a safada que poucos conhecem. Vem cá. Deixa eu te comer todinha. Desce em mim. De boca. Me olhando. E saiba que não sou inesquecível, só cumpro o que o meu beijo te prometeu naquela sinaleira.

A importância da saudade

Nós, homens, precisamos do nosso tão requisitado espaço, precisamos sentir a sua segurança perante nós e, principalmente, a sua compreensão quando o assunto for ficar sozinho.

Algumas mulheres não sabem disso, mas sair com nossos amigos, jogar futebol, beber cerveja, ou qualquer outra forma de distração, completa alguns vazios totalmente normais que um relacionamento provoca em nós. É como se fosse uma injeção de ânimo na rotina. Além disso, é necessário sentir a saudade. Lembrar-me de você sem que você precise me lembrar de fazer isso, e vice-versa. A meu ver, para nenhum relacionamento é saudável ficar o tempo inteiro junto. Cada um querer o seu espaço é a essência para manter a singularidade.

Imagine que a sua relação seja como uma casa. Você cuida dela e a deixa convidativa para que as pessoas queiram voltar. Um relacionamento também é assim: você não precisa alardear de forma panfletária a saudade; basta se dedicar enquanto estiverem juntos e deixar que a saudade faça o seu papel de atar os laços entre vocês. Presença e importância não se impõem.

Sinceramente, às vezes até acho compreensível – e divertido – a mulher ir junto nos ver jogar futebol ou qualquer coisa assim, mas, se eu pudesse dar uma dica, seria que você nunca perguntasse

"Posso ir junto?", e sim afirmasse "Gostaria de ir te ver jogar algum dia desses". Dê-nos liberdade de fazer o que queremos, sem pressão. Por mais besta que pareça, tudo isso nos faz sentir mais "vivos". A maneira mais fácil de fazer alguém querer sair de um relacionamento é sufocando o parceiro. Todo mundo precisa respirar outros ares, e é o contraste que torna a relação valiosa e duradoura.

Na maioria das vezes, quando o relacionamento acaba, as mulheres tomam todas as dores de uma vez, enquanto nós, homens, entornamos copos de bebida e vamos em busca de outras aventuras – sejam elas viagens, trabalhos ou mulheres. A diferença é que nos limitamos a deixar nossas malas embaixo da cama e não arrumamos nada até que seja inevitável. Por isso, alguns homens querem voltar para um mesmo relacionamento depois de certo tempo, pois varreram o problema para debaixo do tapete e deixaram para resolver depois o que já deveria ter sido resolvido há tempos.

Acredito que quanto maiores forem as nossas lutas diárias e os pedágios que pagamos nessas rodovias dos relacionamentos, maiores serão as nossas saudades. Mas, nesses momentos, basta lembrar que as pessoas podem ser conquistadas pelo mesmo custo de sempre: companheirismo, cumplicidade, amor e sacanagem.

DESACREDITAR NO AMOR É BURRICE

Em meio às minhas verdades incertas, desenho amores com caneta fluorescente na alma de quem só quer um. Todo rabiscado, brinco de amar e desamar pessoas que nem conheço. Imagino cenas e roupas jogadas ao chão de casas em que nunca vivi. Dispo mulheres que nunca conheci e cedo-lhes orgasmos que nem sei se existem. Por isso as amo. Amo por não saber se existem. Mas o que é o mundo senão amar a possível existência do amor?

Ingênua ânsia essa de encontrar um sorriso vizinho que vire amor maior e enlouqueça a alma em busca do desconhecido. Por mera confusão, se o amor só existir para ser escrito em verso e prosa, ele já existe para mim. Sem interrogações, sem definições, sem dizeres estipulados, sem tamanhos ou dimensões tangíveis.

Amor de fases na vida de pessoas comuns, que começam acreditando fidedignamente em seus alicerces e depois são surradas, aprendendo, na marra, que amar é viver e viver é tapa na cara. Assim, é normal achar que talvez ninguém mereça o seu real afeto e acabar anulando qualquer nova tentativa de desfibrilá-lo. Mas, de repente, um dia, no auge da maturidade, você descobre que desacreditar no amor é desacreditar na autenticidade da vida.

Desacreditar no amor é burrice, ter dúvidas sobre a sua existência é passageiro, mas querer vivê-lo será sempre vital. Amor que, até hoje, ninguém sabe como se veste ou respira, só que existe. Miseravelmente, precisamos da sua essência para crer em futuros sorridentes e preencher os questionáveis rasgos nas cortinas da vida. Que nesses amores que procuramos dentro de nossas conchas medrosas encontremos a coragem para nos abrir sempre que um olhar de alma pura e profunda passar por nós. E, acredite, vai passar...

CANSEI DAS PESSOAS

Hoje foi um dia comum, daqueles em que acordo cansado de comer as mesmas coisas e ver as mesmas pessoas ou de ver as mesmas coisas e... ah, deixa pra lá.

Eu estava numa fase que pedia pressa, mas, como sempre, precisava ter paciência para aguentar o contínuo caminhar cansado da vida. As coisas estavam rotineiras demais, aqueles seres de sorrisos amarelados e cabelos oleosos sempre com as mesmas reclamações, sofrendo por tiros que já levaram há tantos anos. Eu não suportava mais. Nem meu estômago.

Conhecia gente todos os dias e, sempre que possível, abria meus olhos a suas novas perspectivas, mas não enxergava muito além de corpos construídos e cabeças destruídas. Me agoniava ver aqueles pontos de vista tão estreitos, tão facilmente palpáveis, aquelas fofocas tão frívolas, aquelas fotos de academia estampando uma autoconfiança falsa e dissimulada. Era muita mesquinhez para um mundo que grita por mais sinceridade.

Eu estava perdido no meio de uma multidão que, por sua vez, também estava perdida. Eu estava com preguiça das pessoas, era isso... Preguiça de confiar, de me dedicar, de ouvir os seus sonhos. Eu havia chegado a um vértice da vida onde meus horizontes estavam repletos dos mesmos joguinhos, das mesmas carências, das mesmas expectativas, mas de pessoas diferentes. Era como estar num deserto: tinha toda a liberdade do mundo, mas faltavam-me opções.

Todos temos que casar

Se você escolheu ler este texto por estar de pleno acordo com o título, sugiro que continue desenhando corações nas árvores do seu quintal. Pois, infelizmente – ou felizmente, para a sua desilusão –, esse título é a mais pura personificação da figura de linguagem mais incrível e útil do universo: ironia.

Chega uma fase da vida em que queremos sossegar, deitar no parque e fazer um piquenique a dois – por mais *démodé* que seja. A idade aterrissa em nossos ombros, os caminhos se estreitam e as pessoas te olham como quem observa de perto a impossibilidade de uma pessoa ter 35/40 anos e ser feliz sem um casamento estável. Essa convenção da sociedade que, invariavelmente, nos dita todos os dias que para ser feliz é necessário casar-se, ter filhos e uma família digna de propaganda de margarina é muito pobre.

As pessoas têm essa mania de alinhar a essência do amor a casamento, da fé a religião. As coisas, a meu ver, são muito mais amplas do que isso. A felicidade e seus momentos de alegria se encontram em nosso modo de ver o mundo e seus estigmas; mas, a partir do momento em que você se convence de que ela está na sua solteirice, no seu casamento sem filhos ou na forma que seu cachorro te recebe toda vez que chega em casa, descobrirá as várias vertentes da palavra "felicidade".

É engraçado observar como algumas pessoas nascem com a premissa de que o objetivo na vida é se casar, não viver. Não que casar não seja viver, mas o que era consequência virou obrigação. Sei que talvez você quisesse que, durante o decorrer deste texto, eu te colocasse em meu colo, te olhasse com cara de destino apaziguador e te dissesse que um dia vai encontrar alguém que te ame, te respeite e queira ficar ao teu lado até a hora de vestir o pijama de madeira. Mas não. Só vim te lembrar de que o destino sempre será o nosso melhor colega. Ninguém sabe se ele realmente existe nem se gosta de tomar iogurte ou não, mas, apesar disso, ele sossega almas que têm reais motivos para descrer de um futuro tão míope. E, assim, mesmo entre nossas dúvidas mundanas, grita como quem diz que as coisas darão certo – mesmo sem saber realmente.

Casar-se deve ser maravilhoso – eu, pelo menos, acho. Mas viver à espera de alguém para se casar é um completo desperdiçar de vida. Vá vivendo devagar e derrapando entre curvas felizes. Quando você se cansar de aguardar um amor que sempre julgou inexistente, faça uma loucura, como viajar sem rumo só com uma mochila nas costas e alguns biscoitos no bolso. Sem esperanças e de cabeça vazia, a sua distração vai cooperar com o fato de querer encontrar alguém. Uma pessoa que também esteja contornando o mundo, só com uma mochila e um cantil de água. Afinal, a vida de quem não procura amores é assim. A distração sempre coopera para a realização dos nossos sonhos não sonhados.

A vida custa caro, seja em experiências, seja em escolhas. E viver sem pagar pedágio é perder a única oportunidade que temos de estar aqui e passear por essas estradas ainda desconhecidas.

CARINHO

Então é isso? A gente vive para esquecer e desconhecer pessoas? Para criar rotinas de trabalho e perder-se nas contas que se amontoam por debaixo da porta? Para acreditar e desacreditar no amor, nas pessoas e nos nossos sonhos?

Beijos dados no escuro criam nostalgia da época em que amigos eram mais presentes e menos irreconhecíveis aos olhares. Abraços com necessidade de pulos e pernas enganchadas na cintura criam lembranças de quando éramos importantes e nossas ações moviam mundos e sorrisos. Cochilos tirados no banco traseiro do carro fazem as recordações darem voltas dentro de nós e salientarem como a pureza de fingir estar dormindo sempre será a melhor maneira de receber um carinho sincero.

Talvez o carinho não seja necessariamente o que as pessoas acham que é. Ele pode estar num sorriso, na sensação de proteção que alguém te passa, num beijo roubado ou, até mesmo, num abraço que tire os pés do chão. O carinho é gostoso quando a outra pessoa sabe bem o significado da palavra "aconchego" e, assim, a põe em prática só com o olhar. Muito mais do que um simples afago atrás da orelha, ele é a retribuição espontânea mais gostosa do mundo. Cuidados e anseios divididos com o objetivo de apaziguar a única pessoa que realmente sabe quantas colheres de açúcar tornam o meu café perfeito. Pode ser que precisemos só disto: mais beijos no escuro, abraços pulados e cochilos no banco traseiro do carro.

O que é uma mulher difícil?

"Não entendo. Vocês dizem que preferem as difíceis, mas, quando tento ser difícil, vocês vão lá e ficam com as outras."

Antes de tudo, vamos tentar entender o que seria uma "mulher difícil". Uma mulher difícil não é aquela que não fica com ninguém na balada ou sai por aí distribuindo foras em todos os caras que aparecem. Uma mulher difícil é aquela que segue as suas vontades, que é segura, que tem postura de mulher e, principalmente, é autêntica. E, sinto lhe dizer, mas na maioria das vezes se nasce assim. Como uma pessoa charmosa ou divertida, ela é assim por natureza.

Partindo dessa ideia de naturalidade, você precisa saber que há um detalhe muito importante em tudo isso: não existe coisa pior do que uma mulher que apenas se faz de difícil. Ela está a fim, você percebe, mas ela insiste naquele joguinho "retranqueiro". Se for para fazer isso, faça bem-feito. Diga "não" e mantenha essa postura até o fim, não fique provocando e depois querendo contornar a situação, pois não tem maneira mais fácil de pegarmos aversão a você. Para completar outra pessoa, é necessário se completar, e te garanto que não vai conseguir isso forçando ser alguém que não é.

Sabe, não tente imaginar o que nós estamos pensando para agir. A percepção masculina varia muito de homem para homem. Entenda que, se o cara é infantil o suficiente para contar tudo o que rolou aos amigos, ele também é suficientemente infantil para inventar coisas sobre você. E aí voltamos à estaca zero. Também é importante saber que, quando gostamos ou temos certo respeito por alguém, não damos detalhes do acontecido e, sim, tentamos ser sempre o mais evasivos possível.

Sobre dizermos que preferimos as difíceis, ninguém sabe explicar, mas todo mundo gosta do que é mais difícil por parecer que a conquista fica mais prazerosa. Felizmente – ou infelizmente – é assim que as coisas funcionam. Acontece que, na balada, se um homem chega em uma mulher e ela lhe dá um fora, é simples: ele vai à procura de outra. A dificuldade vem depois, nos encontros, na troca de mensagens, telefonemas, ficadas e assim por diante.

Trocando em miúdos, mulher difícil não é nada mais nada menos do que uma mulher bem resolvida. E sabe o que é mais fascinante em uma dessas? Que ela não te dá certeza da vitória, mas te faz jogar até o fim.

HOJE NÃO SOMOS MAIS DOIS

Chego em casa vazio. Eu e a casa. Ela me come, me devora e me faz ficar parado na porta durante alguns segundos. De tênis velho e cara de tanto faz, dou passos que eu desejava muito serem falsos. Se você soubesse como dói olhar suas fotos e saber que você não vai voltar... Não sei nem por onde começar: arrumar suas coisas? Escolher suas roupas? E o que eu faço com a sua escova de dentes? E os cabelos na cama? E os móveis de jacarandá que compramos? Você não poderia ter partido assim, deixando tudo de você.

Dou três voltas dentro de mim, sento-me na beirada da cama junto às lágrimas e, ao ver nosso retrato no criado-mudo do seu lado da cama, lembro-me de como você gostava de sentar em pedras em frente ao mar e tirar fotos de rosto colado. Ou de jantar a dois, ao som da chuva que caía e envolvia dois amores que se avolumavam entre cobertores e beijos. Sinto tanta saudade... De viver o nosso amor nas varandas dos lugares em que estivemos. De confiar no teu amor. De pedir calma e receber alma.

Eu, que sempre fui tão homem, tão forte, tão convicto dos finais da vida, hoje choro de amor puro. Pois você me fez acreditar no que eu sentia, me fez acreditar que, quando se ama, a gente perde a rigidez imposta no dia a dia. Nosso amor sempre foi história longa, e eu queria você dizendo que não pode ser diferente agora. Me ajuda. Volta. Me leva junto.

Sempre que encontro nossos amigos, eles perguntam como estou e me olham com cara de compaixão. Eles não sabem como agir, e eu nem sei mais como sonhar sozinho. Diziam que nosso amor era tão sincero. A meu ver, tínhamos um relacionamento que não era pautado apenas por pretensões, mas por concessões. Acho que hoje não existem mais relações como a nossa. Aguentar os pequenos entreveros da vida e firmar essa parceria feita de lençóis, pés quentes e torradas na cama não é para muitos. Parece que as pessoas desistem fácil demais, querem relacionamentos em estado de perfeição e se esquecem de construí-los dia após dia.

Como se não bastasse, toda vez que saio me lembro de você. Não éramos muito de sair, eu sei, mas sempre que víamos uma mulher de minissaia você dizia que uma minissaia perde seu charme quando o intuito é convencer alguém de que ali existe um mulherão. Você era demais. E minha.

Eu tinha tantos planos para a gente. Ainda nem pintamos as cerquinhas da nossa casa de branco. Ainda nem fizemos uma casa na árvore para o Plínio e a Catarina – nossos tão sonhados filhos. Ainda nem cantamos *Valsa brasileira* do Chico juntos, com os pés na areia. Ainda nem terminamos de fazer as receitas do caderninho surrado que a sua avó nos deixou. Ainda nem nos prometemos o suficiente. Tampouco gritamos amores em tom de sussurro. Posso continuar dizendo quanto te amo ao ver suas fotos? Deixa, vai... Estou precisando te encontrar nessas molduras estáticas que tanto me trazem você. Que tanto trazem lembranças de uma mulher que me beijou a alma.

Vá com Deus, minha pequena.